L' EUROPE
EXOTIQUE

L'EUROPE EXOTIQUE

Nadine Beautheac
Francois-Xavier Bouchart

CHÊNE

Conception et mise en page Marc Walter
Arbook International

DES DEMEURES INOUIES DANS NOS PROPRES FRONTIÈRES

1. *Nous avions pris pour habitude de méditer des textes indiens au pavillon chinois de l'Isle-Adam...*

2-3. *Maison de thé chinoise, Parc de Sans Souci, Potsdam, R.D.A. ; à l'entrée, des personnages « à la chinoise » des artistes Benkert et Heymüller.*

L'histoire de l'exotisme se confond en Europe avec un itinéraire de conquête ou un vertige « imaginal [1] » : désirer s'approprier les richesses de l'Autre, désirer s'approprier l'Autre pour enraciner notre propre identité, ou désirer se « ressourcer » aux eaux vives de l'Autre dans notre monde épuisé [2], auront été, depuis les origines, les motivations profondes de la découverte de l'univers. Notre périple personnel s'inscrivit dans la dernière de ces trames de l'aventure collective...

Partis durant des années à travers l'Afrique et l'Asie, nous en avons tout aimé : les paysages, les formes d'expression, les êtres ; mais à chaque pas, la découverte nous renvoyait aussi à une interrogation : la nôtre, celle de l'histoire de l'ethnocentrisme de notre univers culturel, l'Europe [3]. A chaque retour, attendant un nouveau départ, nous avons aussi aimé repérer dans les paysages européens la marque de cet ailleurs qui nous fascinait tant : un fronton inhabituel, une courbure de toit, une pagode incongrue... Privilégiant l'architecture parce qu'elle nous permettait de vivre un instant dans l'illusion du voyage, nous avions pris pour habitude de méditer des textes indiens au pavillon chinois de l'Isle-Adam et de traquer les villas mauresques au cours de week-ends sur les côtes françaises. C'est ainsi que l'idée de ce livre est née, il y a très longtemps.

Quels témoignages avons-nous, au juste, en dehors des salons chinois, d'un mobilier colonial ou de déguisements à la turque, de cet engouement historique de l'Europe pour ces manières d'ailleurs instituées en modes ? Notre propre intérêt pour la poésie des lieux nous fit découvrir alors une dimension complètement méconnue de l'Europe exotique qui fut bien autre chose qu'une théière mise en évidence devant un paravent ; cette découverte imaginaire ou réelle d'un monde autre dépassa la mise en acte mimétique pour devenir un mode de vie total : pour le plaisir de l'individu ou des foules, des demeures à l'image de celles de la Chine ou du Maghreb reconstituèrent un microcosme dans lequel on pouvait rêver ou pleurer un pays aimé puis perdu. Avant tout, l'Europe exotique fut l'Europe d'une architecture de la nostalgie.

Nous sommes donc partis systématiquement sur la trace de ces constructeurs « fous » qui avaient partagé la même passion que nous, et nous

avons cherché à découvrir leur histoire, l'histoire de leur entourage et de leur époque, l'histoire de leur création. Nous avons choisi alors de privilégier le terme « exotisme » dans son acception coloniale : sur le plan géographique, les types d'architecture concernés font référence aux terres d'Afrique et d'Asie, excluant d'une part les influences exotiques moins larges comme celles de la Russie et des pays nordiques, et d'autre part, les constructions d'influence américaine qui participent d'un mouvement plus large qui celui de l'exotisme. Notre enquête systématique débute au milieu du XVIIIe siècle, qui marque l'ère des colonisations contemporaines, et exclut donc l'étude de l'architecture élevée en Europe lors des mouvements de conquête, comme l'architecture islamique en Sicile ou en Espagne au Moyen Age, bien que notre texte y fasse indirectement référence.

En ce qui concerne nos recherches pour le XVIIIe et le XIXe siècle, des travaux réalisés précédemment ont considérablement facilité la mise en ordre des lieux et des sites que nous avons tenté de faire ; chacune des sources qui ont enrichi notre démarche est mentionnée au cours de notre texte, mais nous voulons souligner ici tout spécialement la dette que nous avons envers :

Patrick Conner, qui dans son ouvrage *Oriental Architecture in the West* a réalisé les bases d'un inventaire des témoignages architecturaux de la Chine et de l'Inde en Europe jusqu'à la fin du XIXe siècle ;

Richard G. Carrott, dont l'étude sur les origines du renouveau égyptien en Europe et aux États-Unis nous a permis d'intégrer nos propres découvertes dans un courant d'influence plus large ;

Jean Humbert, qui nous a fait l'amitié de nous permettre d'utiliser des passages de ses recherches très complètes (mémoire de maîtrise et thèse de doctorat) sur l'égyptomanie à Paris.

En revanche, aucune recherche ne nous précédait en ce qui concerne la période contemporaine. Or, l'époque strictement « coloniale » fut aussi à l'origine de nombreuses constructions privées, disséminées dans divers pays d'Europe, jamais répertoriées, la majorité d'entre elles restant enserrées dans le secret d'un vallon anglais, allemand ou français. Une grande partie de notre temps et de notre perspicacité fut consacrée à faire le « travail de pionnier » concernant cette période. Nous devons avouer que la moisson dépassa de beaucoup nos espérances et que, si dans notre premier projet, nous avions un souhait d'exhaustivité, celui-ci fut très vite abandonné, en raison des difficultés rencontrées à répertorier les traces d'une créativité qui s'est souvent exercée de manière cachée. Néanmoins, si notre ouvrage peut apporter une contribution à l'histoire des rapports entre l'Orient et l'Occident au cours du temps, c'est bien dans cette partie de notre recherche qu'elle se trouve.

Localiser ces habitats différents, évoquer les visages de leurs constructeurs, tenter de replacer leur « petite histoire » dans les grands courants de pensée et d'action qui sous-tendaient leur époque, représente une contribution au tableau sociologique général des rapports entre l'Europe et le reste du monde. Que des hommes qui ont vécu une partie de leur vie en Asie ou en Afrique aient, sous le ciel du Brabant ou dans un vallon anglais, élevé un hymne à leur amour perdu, exprime d'une manière à la fois émouvante et criante combien la rencontre des cultures est source de vie pour les individus, au-delà de l'indifférence ou du racisme que d'autres s'emploient à perpétuer. En nous attachant à évoquer les constructeurs autant que les lieux, nous avons voulu démontrer que le mépris d'une culture pour une autre n'a aucun sens dans la courbe de l'histoire humaine. Sorties du silence, toutes ces demeures, plus ou

4. *Patio du Pavillon du Maroc, Exposition nationale Coloniale de Marseille, 1922.*

5. *Villa chinoise de Sainte-Adresse (Le Havre), disparue à la suite d'un glissement de terrain.*

moins secrètes, plus ou moins reconnues par l'entourage humain immédiat et par les territoires de l'architecture classique, nous proposent une rencontre sur notre propre sol avec d'autres cultures, c'est-à-dire avec d'autres civilisations auxquelles nos pays sont encore si réfractaires.

D'autre part, ces demeures exotiques se trouvent trop souvent dramatiquement confrontées au pouvoir du temps : leur constructeur disparu, elles ne trouvent pas toujours un héritier, ou un nouvel acquéreur, sensible à l'intérêt architectural ou esthétique qu'elles représentent ; ceux qui ont sauvegardé des demeures constituent des exceptions dans cet inventaire. L'architecture exotique, dont on pourra mesurer l'importance par cette recherche, ne bénéficie d'aucune reconnaissance officielle en France. Les propriétaires actuels tentent des démarches pour faire classer leurs sites, obtenir des subventions qui leur permettent de faire face aux frais réguliers et importants suscités par de telles demeures... Les permis de construire sont d'ailleurs difficiles à obtenir. De nombreux édifices, particulièrement attachants par leur architecture et leur passé, restent à l'abandon, se dégradent au fil des années, tel le palais du Bardo au parc Montsouris à Paris. D'autres encore sont menacés de destruction pour faire place à des lotissements plus rentables (bains mauresques de Rennes). Et pourtant, les édifices exotiques sont peu nombreux dans chaque région ; entretenus, repris par des organismes privés, des collectivités ou des instances publiques, ne représenteraient-ils pas un capital culturel à la fois précieux et merveilleux dont il est dommage de se priver, qu'ils restent demeures personnelles témoignant de l'existence du reste du monde ou qu'ils deviennent des lieux susceptibles de sensibiliser enfants et adultes aux cultures non occidentales ?

Nous voulons aussi, par cette recherche, nous associer à cette interrogation : peut-on laisser disparaître à jamais une maison, un palais, un lieu de culte si extraordinaires, dont le premier souffle remonte à celui de ces navires « inouïs [1] » qui partaient à la découverte des merveilles des Indes ?

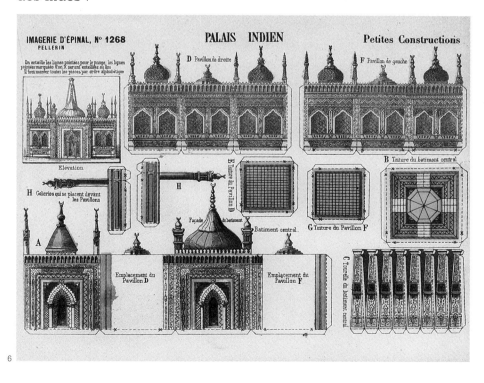

EXTRÊME ORIENT EXTRÊME PASSION

Des paravents de laque aux jardins anglo-chinois.

Avant 1650, l'Europe importe surtout d'Extrême-Orient de la porcelaine chinoise. Les Portugais sont les premiers à aller s'approvisionner dans les ports de la côte sud de la Chine. Puis les Hollandais prennent le relais : en 1615, leurs ports reçoivent 24 000 pièces de porcelaine, 42 000 en 1616, 3 millions en 1638 [1].

Les célèbres porcelaines bleues et blanches — assiettes, coupes, pichets, pots à thé — introduisent en Europe, d'une manière subtile, une conception nouvelle du paysage et des formes architecturales inconnues jusqu'alors ; les motifs représentent en général des scènes de vie rurale ou urbaine : enfants et leurs jeux, femmes dans leurs activités champêtres, promenades familiales ou réceptions d'amis dans la maison ; en arrière-plan se profilent le pavillon à deux étages, la pagode, le toit à la ligne courbe, le pont bombé, l'eau, la ligne sinueuse de l'arbre.

LA LEÇON D'ARCHITECTURE DANS UN PARC

« Regardez un beau paravent de laque avec de jolis reliefs de clochetons, de clochettes, de portiques, de balcons, de kiosques et tous les accessoires du style colifichet, et vous aurez assurément le cliché véridique des pagodes que l'architecture chinoise a tiré à Pékin à mille exemplaires [3]. »

8

Toutes les cours d'Europe s'éprennent d'exotisme et, très vite, chaque palais possède son salon chinois. Aussi, avec les céramiques fragiles, les bateaux européens apportent encore tentures, peintures, coffrets, commodes de laque, paravents, secrétaires, plateaux de papier mâché dont tous les motifs jouent sur une poétique de l'espace qui rencontre un écho privilégié dans l'Europe des lumières. La demande sera telle que, dès la fin du XVIIe siècle, de petites industries s'ouvrent partout en Europe — Delft, Francfort, Nevers, Bristol — produisant des « chinoiseries », dans tous les secteurs des arts décoratifs ; c'est ainsi qu'en 1742, l'empereur de Chine reçut une « tenture chinoise » réalisée par François Boucher et présentée au Salon de 1742. Mais surtout, ces objets exotiques proposent une réponse à l'interrogation de l'espace qu'agite le XVIIIe siècle européen.

L'Angleterre éprouve la première un malaise vis-à-vis de l'esthétique du Grand Siècle. Sous l'impulsion de Le Nôtre, les créateurs de jardins ont poussé jusqu'à l'extrême le pouvoir du regard, du jeu optique, de la limite. L'œil aspire à briser les lignes de l'apparat et de l'ostentatoire pour jouir librement de la nature dans sa réalité et sa diversité.

En 1713, Samuel Molyneux avait admiré dans le jardin anticonformiste du comte de Rochester un « effet sharawadgi [2] ». William Temple avait déjà mentionné cet effet dans sa dissertation de 1685 sur l'art des

9

7. *Le pont chinois de Frederiksberg (Copenhague), résidence d'été de la famille royale danoise.*

8. *Parc d'Aranjuez, juxtaposition d'une folie exotique et d'une folie classique (photo du XIXe s.)*

9. *Projet de belvédère pour les jardins de Menars de M. de Marigny ; élévation de 1772 de l'architecte Ch. de Wailly.*

jardins et précisait qu'il en avait « entendu parler par ceux qui ont vécu parmi les Chinois [1] ». L'effet sharawadgi symbolisait le désordre calculé de la nature que, depuis Mandeville au XVIe siècle, voyageurs et missionnaires avait observé dans les jardins chinois. Puis Matéo Ricci fut le premier jésuite à avoir largement décrit, de 1582 à 1600, l'architecture de la Chine et ses jardins extraordinaires, ponctués de scènes d'harmonie et d'épouvante.

Le père Couplet en 1688, le père Le Comte en 1697 et le père du Halde en 1735 magnifient dans leurs récits l'irrégularité et la sinuosité des espaces tout comme les fabriques qui ornent les jardins : temples, kiosques, ponts, pagodes. Les éléments naturels, eau, sable et rochers, sont utilisés de façon à transformer les paysages en lieux de méditation. Le jardin de l'empereur contient quatre cents pavillons représentatifs d'une ville entière avec ses marchés et ses temples. Le jardin chinois est perçu comme un microcosme paysager qui contient dans son espace limité et clos l'univers en réduction. Car l'Europe a aussi franchi, avec le début du XVIIIe siècle, « l'enclos de sa maison », elle découvre l'univers. « Julie, le bout du monde est à votre porte... », s'écrie Rousseau [2]. L'architecture prend dès lors dans les jardins un essor incomparable.

Aux édifices classiques — marbres de la villa d'Hadrien ou motifs palladiens évoquant l'Arcadie de Virgile — les propriétaires préfèrent désormais les fantaisies de l'imagination, mêlant tout à la fois les styles chinois, mauresque ou gothique. Dans leur recueil de 1750, John et William Halfpenny proposent aux propriétaires anglais des projets de kiosques de toutes origines. Les *Cahiers* de Le Rouge, en 1775, indiquent comment structurer un jardin autour d'un décor architectural. Le *Traité de la composition et de l'ornement des jardins*, publié chez Audot, éditeur du *Bon jardinier*, propose « en plus de six cents figures, des plans de jardins, des fabriques propres à leur décoration et des machines pour élever les eaux ». Son succès fut tel qu'en 1839, il en était à sa cinquième édition. Dans ces paysages pensés en termes d'architecture, la Chine sera une extrême passion, exerçant sa fascination sur l'ensemble de l'Europe jusqu'à la constitution des empires coloniaux.

10. *Temple chinois pour le parc de Kew (Londres) ; gravure de Le Rouge dans* Détails de nouveaux jardins à la mode, *Paris, 1776-1787.*

11. *Modèles de pavillons chinois à construire dans les parcs, gravure dans* Rural architecture in the chinese taste, *de W. Halfpenny, Londres, 1750-1752.*

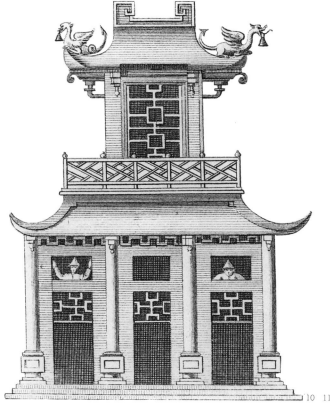

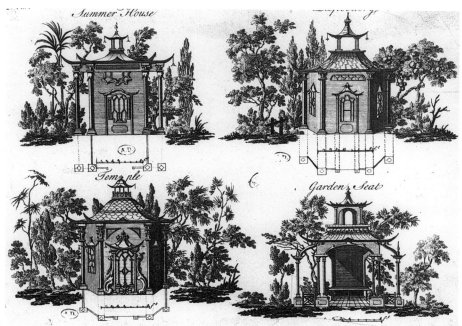

13

L'effet sharawadgi ou la nature recréée par l'homme.

La lettre du frère Attiret sur le jardin de l'empereur de Chine, publiée en France en 1749, puis en Angleterre en 1752, eut un retentissement important dans toute l'Europe. Et l'harmonie ténue qui résulte de la savante juxtaposition d'une maison de thé, d'un pont à balustrade et de la ligne sinueuse d'une pièce d'eau donne lieu très tôt en Angleterre à une évocation de l'atmosphère extrême-orientale. Dans sa recherche minutieuse, B.Jones [1] cite une maison de thé, construite dès 1640 dans l'Oxfordshire. Cet édifice n'avait pas de véritables caractéristiques architecturales chinoises, mais l'idée même de maison de thé auprès de l'eau était, elle, exotique ; plus tard, on lui juxtaposa un pont chinois. Mais

« On sort d'un vallon, non par de belles allées, droites comme en Europe, mais par des zigzags, par des circuits, qui sont eux-mêmes ornés de petits pavillons, de petites grottes, et au sortir desquels on retrouve un second vallon tout différent du premier, soit pour la forme du terrain, soit pour la structure des bâtiments. [...] Les canaux ne sont point comme chez nous bordés de pierres de taille tirées au cordeau, mais tout rustiquement avec des morceaux de roche, dont les uns avancent, les autres reculent, et qui sont posés avec tant d'art, qu'on dirait que c'est l'ouvrage de la nature. [...] Encore un mot de l'admirable variété qui règne dans [ces] maisons de plaisance, elle se trouve non seulement dans la position, la vue, l'arrangement, la distribution, la grandeur, l'élévation, le nombre des corps de logis, en un mot dans le total, mais encore dans les parties différentes dont ce tout est composé. Il me fallait venir ici pour voir des portes, des fenêtres de toute façon et de toute figure : des rondes, d'ovales, de carrées et de tous les polygones, en forme d'éventail, de fleurs, de vases, d'oiseaux, d'animaux, de poissons, enfin de toutes les formes, régulières et irrégulières [2]. »

13

12. *Maison chinoise de Shugborough.*

13-14. *Galerie et façade de la laiterie chinoise de Woburn.*

15. *Dans un vallon secret, le temple chinois du botaniste James Bateman, à Biddulph Grange.*

12

14

15

c'est du début du XVIIIᵉ siècle, de 1738, que date la première maison chinoise anglaise, celle de Stowe qui est peut-être, selon P. Conner [1], celle que l'on peut voir aujourd'hui à Kildare (Irlande) où elle aurait été transportée en 1957. Des plans ou des peintures attestent que d'autres petites maisons chinoises ont ainsi évoqué l'atmosphère extrême-orientale, mais il ne reste que trois témoignages concrets à l'heure actuelle : le pavillon d'été oriental de Shugborough, la laiterie chinoise de Woburn et le temple de Biddulph Grange.

Lorsque Thomas Pennant visite en 1780 le parc de Shugborough (Staffordshire), il est très impressionné par le pavillon d'été oriental construit en 1747 par George Anson, un amiral qui avait séjourné plusieurs mois à Canton. La maison chinoise [2] se trouvait au centre d'une petite île de la rivière Sow ; les murs étaient roses, un double parasol terminait un toit aux lignes légèrement orientales. T. Pennant estime qu'il s'agit d'une architecture authentique et non pas d'« une invention bâtarde de ces constructeurs anglais ». P. Brett, le lieutenant de l'amiral Anson, avait fait de nombreux croquis d'architecture durant le temps de son affectation à Canton. Aujourd'hui, l'île a disparu et les murs ont été repeints en blanc, mais le pavillon, que l'on découvre après une longue promenade dans un parc à fabriques, n'a rien perdu de son charme exotique. La simplicité de ses formes architecturales fournit un contrepoint à la sinuosité de la rivière fleurie de nénuphars et à l'arche du pont qui l'enjambe.

Le cinquième duc de Bedford engage, en 1789, l'architecte Holland pour élever divers bâtiments dans le parc de son domaine de l'abbaye de Woburn. La laiterie, considérée à cette époque comme « la plus singulière fabrique qui puisse embellir un jardin [3] » est réalisée dans le style chinois. Le prince de Pückler-Muskau décrit en 1826 une « sorte de temple chinois [4] » relié aux autres bâtiments de ferme par des galeries courbes ponctuées de portes ovales, et dont les fenêtres reprenaient les motifs chinois de fleurs, d'oiseaux et de papillons. Les murs intérieurs de la laiterie étaient recouverts de bols et de plats chinois et japonais, de formes et de couleurs variées, incitant les invités à déguster fromages et lait frais suivant la mode lancée à Rambouillet, au Raincy ou à Canon en Normandie.

Mais le témoignage le plus émouvant de ce goût pour l'exotisme est sans doute le petit temple de Biddulph Grange (Cheshire) élevé en 1840 par James Bateman. Ce botaniste, qui consacra deux ouvrages à la culture des orchidées, acquit en 1807 à Biddulph une vieille ferme et quelques terres. De l'étang solitaire à la forêt épaisse, des collines aux abris d'ombre, le visiteur y découvre aujourd'hui un jardin chinois où tout ce qui semble œuvre de la nature a été merveilleusement conçu par l'esprit de l'homme. Grâce à une composition savante, des plantes parsèment les roches du jardin de pierre de toutes les nuances de vert. Des nénuphars s'épanouissent à la surface de la pièce d'eau. Une grotte voisine avec les degrés escarpés de la rivière artificielle. Un étroit chemin s'enfonce à travers les conifères puis dévale vers un vallon secret. Un premier pavillon, élevé au milieu des roches, offre un point de vue sur le pont rouge et la porte chinoise massive qui introduisent à la cour exotique et au second temple de méditation ; surmonté d'un double toit rouge et blanc, légèrement précieux, il s'effondre lentement dans les eaux impassibles de l'étang. Des motifs symboliques de bois ornent les balustrades. Des gerbes de bambous environnent le petit édifice et donnent à ce lieu privilégié la grâce de l'éternité dans sa fragilité.

16. *Pagode chinoise, gravure de Le Rouge ; modèle non construit.*

17-18. *Pagode chinoise de William Chambers pour le parc de Kew (Londres) ; études (certainement d'après les dessins du même architecte) du pavillon et du temple chinois qui furent élevés dans ce parc, en 1750, pour Frederick, prince de Galles. Gravures de Le Rouge.*

16

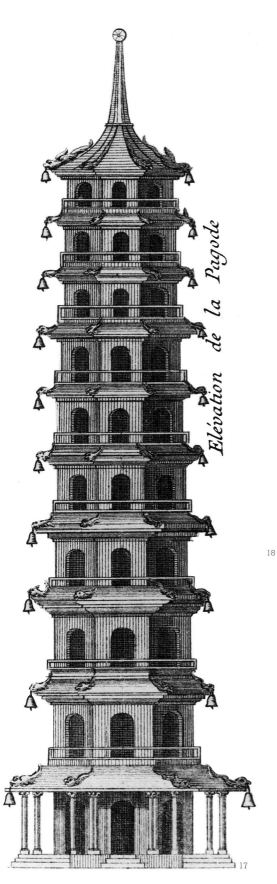

Elévation de la Pagode

Des pagodes de légende...

Les légendes, qui savent si bien l'origine symbolique des choses, racontent que les cendres de Bouddha furent éparpillées et retombèrent sur quatre-vingt-quatre mille lieux, surmontés depuis d'une pagode. De tous les édifices chinois, la pagode apparaît aux voyageurs comme le plus spectaculaire tant par l'originalité de sa forme que par ses proportions et par la magnificence de sa décoration. Elle sera, dès l'origine, au centre de ces éden du pittoresque que veulent être les nouveaux jardins paysagers.

La première pagode construite en Occident fut sans doute celle de Shugborough. En 1752, lady Anson écrit à l'amiral, son époux, que la structure de bois de la pagode, généralement attribuée à Thomas Wright, est terminée et que l'ensemble est prometteur. Mais seule l'aquarelle de Moses Griffith de 1770 permet aujourd'hui d'en discerner les six étages : l'édifice fut englouti par les flots de la Sow en 1795.

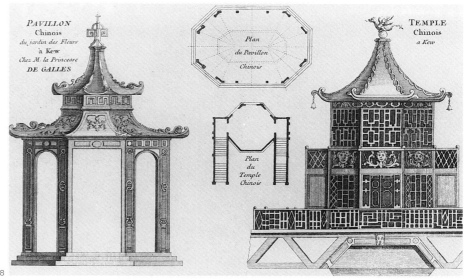

William Chambers éleva dans le parc de Kew, entre 1761 et 1763, une pagode qui consacra la mode de ce genre de fabriques. Chambers, né en Suède en 1723, avait fait, au service de la Compagnie des Indes, trois voyages en Extrême-Orient, en 1740 d'abord, puis de 1743 à 1745 et de 1748 à 1749. Il se consacre ensuite à l'architecture, et laisse une œuvre considérable, notamment des constructions néo-classiques (Somerset House à Londres, par exemple) et une contribution à l'architecture exotique capitale. En 1757, il publie le *Traité des édifices, meubles, habits, machines et ustensiles des Chinois* auquel se réfèreront tous les architectes ayant à construire une fabrique chinoise ; puis en 1772, la célèbre *Dissertation sur l'art oriental des jardins* dans laquelle il fait l'éloge de ces jardiniers chinois qui sont, pour lui, des poètes, des peintres et des philosophes. Nommé tuteur du futur George III par la princesse Augusta, il se voit confier la tâche de réaménager les jardins de Kew. Les travaux commencent en 1757, et Chambers en publie une description en 1763. Il dispose vingt-six fabriques dans le parc ; six d'entre elles sont chinoises : un pont, une volière, une ménagerie, un pavillon, un temple et la pagode qui seule subsiste de nos jours. Il est généralement admis que Chambers s'est inspiré de la Pagode de Porcelaine de Nankin régulièrement décrite dans les récits de voyage depuis le XVIIe

siècle. Le plan est octogonal, les matériaux sont essentiellement le bois et les tuiles vernissées ; les couleurs sont le rouge et le jaune. La décoration reprend les motifs de dragons, les clochettes et les fleurons des toits. Le nombre d'étages, neuf, renvoie à la symbolique de la perfection. « Cependant, les proportions des Chinois lui avaient paru irrégulières quant à l'élévation des bâtiments ; ce qu'il imposa dans cette pagode, c'est une progression arithmétique dans les dimensions de chacun des étages : le diamètre et la hauteur de chacun des dix niveaux diminuent d'unité en unité vers le haut [1]. »

Quelques années plus tard, une pagode d'une importance similaire est élevée en France. Entre 1773 et 1778, le duc de Choiseul fait élever

19. *La pagode que l'architecte William Chambers éleva dans le parc de Kew entre 1761 et 1763, introduit en Europe la mode de ce genre de fabriques.*

20. *On dit que Choiseul et d'Argenson, exilés en disgrâce, firent un soir le pari d'élever chacun le plus haut bâtiment sur son domaine ; Ch. de Wailly construisit pour d'Argenson la tour-observatoire au Château des Ormes, et Choiseul choisit Le Camus pour élever une pagode chinoise à Chanteloup.*

21. *La Tour chinoise du parc anglais de Munich.*

à Chanteloup, d'après les dessins de Le Camus, une pagode haute de quarante mètres et large de seize à la base. Elle repose sur seize colonnes de style dorique et constitue une interprétation libre du modèle de Kew. Dufourny et Visconti visitent en 1800 les jardins désormais à l'abandon et décrivent « une immense pagode élevée au sommet du parc et au centre d'une immense demi-lune remplie par un bassin demicirculaire à laquelle aboutissent sept grandes routes qui traversent la forêt d'Amboise. Cette pagode, qui a sept étages, non compris la pyramide qui la termine, est très solidement construite en pierre de taille. Chaque étage contient une jolie salle voûtée ou reposoir, et, de celui du haut, on jouit d'une vue immense [1]. »

En 1789, l'électeur de Bavière, Carl Theodor, décide d'offrir à la bourgeoisie munichoise un très beau parc « à l'anglaise » dont il demande le dessin à l'architecte F. L. von Sckell. Avec ses trois cent soixante-cinq hectares, ce jardin anglais reste l'un des plus grands parcs d'Europe aménagés au cœur d'une cité. Peut-être parce que Munich est la ville du Pagodenburg (cette maison de thé construite en 1716, au décor chinois mais de facture néo-classique), une tour chinoise polygonale est dressée au centre du parc ; sur quatre étages, elle marie le bois à l'ardoise. Un restaurant chinois de la même époque lui fait face, et, depuis juin 1972, une maison de thé japonaise s'ajoute à l'ensemble, perpétuant ainsi la tradition exotique introduite par la lignée des Wittelsbach.

De fait, tous les grands propriétaires du XVIIIe siècle adopteront la pagode comme signe de prodige architectural. A Laeken (Belgique), Montoyer s'inspire de la pagode de Chambers pour élever dans le parc de Schonenberg, propriété des archiducs d'Autriche, une tour octogonale à neuf niveaux. Elle fut détruite au moment de l'occupation française, ainsi que l'orangerie de même style bâtie à proximité. A Potsdam (R.D.A.), Gontard élève en 1770 une pagode à quatre niveaux dans le jardin du château de Sans Souci ; cet édifice qui porte le nom poétique de maison du Dragon existe encore de nos jours. S. F. Adelcrantz avait fait des projets à Drottningholm (Suède) pour une pagode qui ne fut jamais réalisée. A son retour de Londres, en 1770, le prince de Croy dessina une pagode pour le parc du château d'Étupes (Montbéliard) ; cette demeure d'été des ducs de Wurtemberg outre de nombreuses fabriques, comprenait notamment des ponts de style chinois.

La pagode vient apporter une dimension féerique et étrange à certaines fêtes de nuit. Nash éleva pour la grande fête du jubilé, à Londres, en 1814, une pagode dressant ses sept étages au milieu d'un pont environné de quatre petits pavillons exotiques. Le *Gentleman's Magazine* se demandait si un tel édifice avait vraiment quelque chose à voir avec l'objet de la fête, mais, au début de la nuit, il s'illumina et tout devint « d'une beauté singulière et d'une grande magnificence [2] ». Pendant deux heures, fusées, gerbes, roues de feu, pluie d'étoiles se succédèrent, puis les derniers étages s'enflammèrent et la pagode s'effondra dans les eaux, entraînant la mort des deux ouvriers qui s'occupaient de la fête.

Le dernier grand jardin anglais d'inspiration exotique fut aménagé entre 1814 et 1827 à Alton Towers, dans le Staffordshire, par Charles Talbot, duc de Shrewsbury, « celui qui fit sourire le désert ». Les architectes A. Abraham et T. Allason employèrent à profusion les essences exotiques, rhododendrons, conifères japonais, azalées... Abraham dessina de somptueuses serres et ponctua un itinéraire de promenade de fabriques originales : une fontaine de pierre à quatre niveaux aux parois rainurées en spirale, une reconstitution du site mégalithique de Stonehenge... Abraham et Allason conçurent le projet d'une pagode, élevée

22

22. *La maison du Dragon, pagode à quatre niveaux, élevée en 1770 par l'architecte Gontard dans le parc de Sans Souci, à Potsdam.*

23. *Pagode chinoise du parc de Laeken (Belgique), détruite au moment de l'occupation française ; aquarelle de l'époque.*

24. *La pagode de l'architecte Nash, attraction du jubilé d'août 1814, construite sur un pont à Saint-James's Park.*

23

24

au milieu d'un lac, à six étages surmontés des neuf cercles traditionnels desquels jaillirait un jet d'eau. Ils envisagèrent même de suspendre quarante lampes chinoises aux divers étages pour célébrer des féeries nocturnes. Trois étages seulement seront réalisés et les sept toits aux courbes extravagantes, dont Loudon fit une peinture en 1833 [1], ne s'élevèrent jamais parmi les conifères. La pagode, restaurée avec sensibilité par ses derniers propriétaires, demeure un témoignage intéressant d'une mode finissante. Les deux architectes avaient d'ailleurs su adapter les techniques nouvelles à leur projet exotique puisque l'édifice est doté d'une charpente métallique. Aujourd'hui, l'immense parc à fabriques ouvert au public est devenu un lieu d'attractions où des voiliers d'enfants naviguent dans des ports, un train miniature parcourt vallées et collines et conduit aux portes d'un labyrinthe de la mort... Nous voici loin du charme mystique des élysées du XVIIIe siècle...

Et pourtant, les enfants courent dans les splendides serres d'Abraham : le soleil éclabousse les vitres aux gonds rouillés, les rhododendrons bleus meurent dans des potiches écaillées ; la fête au loin bat son plein : on entend des cris et la musique des stands de jeu. Mais le sentier dévale vers le silence près de la pagode au jet d'eau tranquille, l'étang, les nénuphars, les bouquets d'arbres et de fleurs font écho à la vibration imperceptible des clochettes qui ourlent l'extrémité des toits... Le parc perpétue la tradition anglaise des « jardins de plaisir » ouverts à tous. « Avec leurs stands de jeu et leurs baraques à monstres, à prodiges, leurs nains et leurs géants, leurs femmes à serpents, les parcs d'attractions, les luna-parks modernes renouent encore avec la tradition de l'assemblage dans un enclos des singularités et des merveilles du monde. Les répertoires se renouvellent à l'intérieur d'un même mécanisme poétique et en vertu d'une même aspiration des hommes. Le système est inhérent à tous les développements des artifices et de la vie. Il crée un conte prestigieux dans les jardins paysagers du XVIIIe siècle [2]. »

Pavillons, kiosques et ermitages.

La mode des jardins anglo-chinois apparaît en Europe après que Le Rouge, ingénieur et géographe du roi, éditeur de nombreux cahiers de gravures, eut publié en 1774 les vingt et un volumes des *Jardins à la mode*. Une seconde édition précise d'ailleurs *Jardins anglo-chinois à la mode*.

De multiples projets sont dessinés dans cet esprit, utilisant comme édifices privilégiés le kiosque, le pont « qui intimide », le belvédère « d'où l'on entend la neige [3] » et la maison aux dimensions plus vastes que le salon de thé, qui devient un véritable ermitage de méditation.

Nombreux sont les croquis qui resteront à l'état de projet : le jardin anglo-chinois conçu pour Delphino, ambassadeur de Venise, qui voulait inclure un secteur chinois dans un parc classique ; le « superbe jardin anglais » commandé par le comte de Sévigné qui comportait un kiosque chinois à double toit, élevé au centre d'un pont entre un temple de la Solitude et un temple de l'Amitié de facture classique. Bergeret fils avait conçu, pour l'Isle-Adam, une faisanderie composée de quatre édifices en hémicycle.

La fantaisie s'immisce dans les moindres détails du jardin : les « objets du pittoresque » s'ajoutent aux fabriques, tels la balançoire de « la Redoute Chinoise à la Foire » (Le Rouge), « le jeu de bague aux magots chinois » (J.-Ch. Krafft), « la grotte » abritant une cascade qui prend souvent, en Angleterre, des allures gothico-chinoises comme dans le croquis de Paul Decker (1759) [4]. La tente chinoise, posée sur des structures

25

26

25-26. *La faisanderie chinoise de l'architecte W. J. Muller à Karlsruhe (R.F.A.) dans le parc du château.*

27. *La pagode-fontaine d'Alton Towers, laisse le visiteur dans une atmosphère « fort agréable » comme le ressentait à Pékin le Jésuite Gerbillon admis à visiter le Jardin du Printemps perpétuel de l'Empereur en 1690. (Abrégé de l'histoire générale des voyages, de J.-F. Laharpe, vol. VI p. 251, chez Ledentu, 1825).*

Projet
D'UN **KIOSK**.
Pour le Parc
DE L'HERMITAGE.
DESSINÉ
Par M. le Prince de Croy.

Pavillon Chinois
Nommé
TINGS.

6'   12. Pieds

28

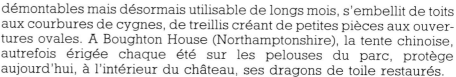

démontables mais désormais utilisable de longs mois, s'embellit de toits aux courbures de cygnes, de treillis créant de petites pièces aux ouvertures ovales. A Boughton House (Northamptonshire), la tente chinoise, autrefois érigée chaque été sur les pelouses du parc, protège aujourd'hui, à l'intérieur du château, ses dragons de toile restaurés.

Le pont, élément d'architecture indispensable, est bombé comme à Wrest Park (Bedfordshire), ou à plusieurs arches ponctuées de kiosques comme celui de la villa Pallavicini, près de Gênes. Ce dernier menait les promeneurs à une pelouse où, assis sur des coussins de porcelaine du Japon placés en bordure du lac, ils pouvaient contempler, dans l'embrasure d'une arcade gothique, le golfe de Gênes [1].

De petits pavillons chinois sont souvent placés sur des barques, simulant des jonques. La plus somptueuse était celle du duc de Cumberland, baptisée *Le Mandarin* : la coque était décorée de dragons ; les bastingages faits de treillis de bois traditionnels chinois ; des bannières élevaient leur panache et une vaste pièce de « vingt pieds sur quatorze » était surmontée d'un toit recourbé et d'un parasol à quatre motifs successifs. Les gondoles de Venise furent aussi célèbres pour leurs emprunts à la mode chinoise. Le bac du parc de Steinford reprenait certains éléments caractéristiques : double toit, treillis et mât se terminant par une bannière.

28. *Projet d'un kiosque et d'un pavillon chinois dessinés par le Prince de Croy, certainement en 1770 à son retour d'un voyage en Angleterre, mais non réalisés. Gravure de Le Rouge.*

29-30. *Décoration intérieure, restaurée, et vue d'ensemble de la tente chinoise de Boughton House ; autrefois érigée chaque été sur les pelouses du parc, elle est aujourd'hui préservée à l'intérieur du château.*

31. *Salon de jeux au milieu d'un lac, gravure de Dugourc et Berthault.*

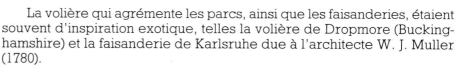

La volière qui agrémente les parcs, ainsi que les faisanderies, étaient souvent d'inspiration exotique, telles la volière de Dropmore (Buckinghamshire) et la faisanderie de Karlsruhe due à l'architecte W. J. Muller (1780).

Mais le pavillon chinois sera l'ornement indispensable à l'aménagement des nouveaux jardins : en Angleterre, Richard Bentley dessine une maison d'été pour Walpole à Strawberry Hill (Middlesex) ; John Aislabie agrémente, en 1744, son parc de Studley Royal (Yorkshire) d'un pavillon ; un pavillon est construit en 1761 à Wrest Park (Bedfordshire) pour la nièce du duc de Kent. En 1759, le duc de Cumberland fait élever le somptueux pavillon de Virginia Water à Windsor qui sera sa retraite privilégiée lorsqu'il deviendra George IV.

En France, c'est François-Joseph Bélanger qui sera l'architecte de l'exotisme chinois. Il avait visité de nombreux parcs anglais, s'intéres-

sant à l'architecture palladienne, mais aussi à Chambers et à la ville de Bath, et avait ramené des carnets de voyage annotés de croquis à la plume ou au crayon [1]. A son retour, il devient l'assistant du prince de Ligne qui bâtit une folie à Belœil ; il dessine un projet de kiosque et de pont pour un jardin rue des Victoires ; il construit une maison de bains chinoise, à Santeny, pour Mme Bélanger. Mais il sera surtout l'architecte de Bagatelle et de Saint-James dans le bois de Boulogne. A Bagatelle, il élève pour Marie-Antoinette une tente chinoise, des ponts de même style et une « hutte du philosophe », dont rien ne subsiste. Pour Claude-Baudard de Saint-James, trésorier général de la Marine, il construit un splendide kiosque sur une grotte, dont ce dernier ne jouira guère puisqu'il terminera ses jours à la Bastille en 1787...

En 1770, J.-F. Leroy construit un kiosque chinois à Chantilly ; en 1773, Carmontelle juxtapose des fabriques, dont un pavillon chinois, dans le parc Monceau pour le duc de Chartres. Selon le prospectus du livre sur l'histoire du jardin qu'il rédigea lui-même en 1779, le promeneur, en se rendant de l'une à l'autre des fabriques peut apprécier un « jardin de tous les temps et de tous les lieux ». Pour compléter l'illusion, Carmontelle avait fait venir des plantes de Chine, des thuyas ; des serviteurs en turban promenaient des animaux d'Asie et d'Afrique. Les différentes parties du monde étaient aussi évoquées dans le parc de Betz (Oise), aménagé de 1780 à 1789 par le duc d'Harcourt pour la princesse de Monaco : en plus des fabriques gothiques, Hubert Robert avait dessiné un kiosque chinois, aujourd'hui disparu, tandis que le parc, désormais propriété du roi du Maroc, garde la plupart de ses aménagements paysagers et décoratifs. En 1781, le cardinal Louis de Rohan fait construire le kiosque chinois du parc de Saverne dont les éléments exotiques étaient plus décoratifs qu'architecturaux. Il en est de même pour le pavillon du parc de Kerlevenan. Mais ces deux derniers édifices témoignent bien de l'importance de cette mode exotique qui devint finalement la référence au « bon goût » dans toute l'Europe.

32. *Le pavillon chinois de L'Isle-Adam, après restauration.*

33. *Elévation d'un belvédère chinois ; plume, lavis et aquarelle de M. B. Hazon pour M. de Marigny à Menars.*

34. *Plan aquarellé du Parc Saint-James à Neuilly, juxtaposant l'élévation de deux folies dans le goût anglo-chinois.*

33

32

34

En Westphalie, le comte de Bentheim fait élever, de 1780 à 1787, un pavillon chinois et un salon d'été de même style en treillage « pour prendre le frais ». En Espagne, une salle du Buen Retiro du palais royal d'Aranjuez avait été aménagée, vers 1758, « à la chinoise » par les artistes de la fabrique de porcelaine de Capodimonte, près de Naples, notamment les Tiepolo, père et fils, qui avaient précédemment décoré de chinoiseries un palais vénitien. Le parc d'Aranjuez conserve toujours un kiosque d'inspiration chinoise, peut-être le seul témoignage architectural de ce type dans la péninsule ibérique.

Le pavillon de L'Isle-Adam, « posé sur l'eau », reste de nos jours le seul témoignage en France de ces pavillons de plaisance qui avaient tant séduit le frère Attiret. Pierre-Jacques Bergeret de Grancourt, receveur général des finances de Montauban, né en 1742, acquiert en 1778 le domaine de Châteaupré, qui recevra plus tard le nom de Cassan. Les travaux d'embellissement du parc, interrompus par la Révolution, reprennent en 1792. La date de la construction du pavillon chinois n'est pas certaine ; selon l'architecte Choppin de Janvry qui dirigea récemment les travaux de restauration [1], elle se situe soit au moment de l'achat du domaine, soit en 1788-1789, après le règlement de la succession paternelle. Un plan de 1790 montre que le pavillon était construit à cette date. La paternité de l'architecture est, elle aussi, incertaine : on pense à Fragonard, qui accompagna Bergeret et son père lors d'un voyage en Italie en 1773, à Bergeret lui-même, à André et Pauseran, architectes du prince de Conti, seigneur de L'Isle-Adam, ou encore à de Courtillier ou Morel qui ont dit et écrit avoir travaillé à Cassan. Le pavillon chinois est la seule fabrique qui témoigne encore d'un vaste projet : initialement un château devait être construit sur une île située au cœur d'un vaste plan d'eau au tracé sinueux ; un temple devait s'élever sur une autre île et diverses constructions se seraient réparties dans les axes, notamment des kiosques et des ponts.

L'unique pièce du pavillon, d'un diamètre de sept mètres, est percée de huit portes-fenêtres en bois peint. Elle est surmontée du classique double toit et de l'ombrelle à cinq anneaux. On y retrouve les couleurs traditionnelles, notamment le rouge, les treillis en forme de svastika au niveau de l'entre-deux-toits et les décors circulaires des portes-fenêtres. Le domaine, vendu en 1803 par Bergeret à son architecte F.-D. Courtillier, passa entre plusieurs mains avant d'être racheté, en 1866, par un nouveau propriétaire qui fait transformer le parc et construire un château, rasé en 1903 et remplacé par un bâtiment de style XVIIIe siècle. Le pavillon chinois, à l'abandon, devint un des lieux privilégiés de promenade des Adamois. Dans les années 1970, le domaine de Cassan est loti, tandis que la municipalité, propriétaire du pavillon, engage une restauration et aménage un jardin fleuri de rhododendrons, perpétuant ainsi la tradition de l'intégration dans les jardins européens d'essences exotiques que, depuis l'époque de Louis XV, explorateurs et diplomates rapportaient du monde entier. Aujourd'hui, les amoureux et les enfants de L'Isle-Adam viennent le dimanche, comme au Temple du Ciel à Pékin, le temps d'un jeu, d'une promenade, ou d'une photographie familiale dans un décor d'illusion...

L'exotisme du jardin anglo-chinois qui tend à mettre l'individu en rapport avec le monde entier se complète parfois d'une invitation au voyage dans un espace intérieur. La vie à la campagne était souvent associée à la méditation, et l'ermitage, établi dans un lieu de nature privilégiée, « entre le château et la maison bourgeoise [2] » symbolise ce rêve de refuge et de repli. Des maisons exotiques furent construites à Lunéville, à Alres-

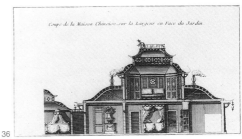

35-36. *La Maison chinoise de M. de Monville, au Désert de Retz. Située au bord d'un étang, la Maison comprenait trois niveaux et sur les gravures de Le Rouge, on peut voir des personnages chinois disposés à l'extérieur : l'un était appuyé à la balustrade du toit, un autre tenait une lanterne devant les murs sculptés, un troisième un parasol à sonnettes. Au rez-de-chaussée, le propriétaire recevait ses visiteurs dans un salon duquel partait un petit escalier qui conduisait, à l'étage, à la bibliothèque, entièrement construite en bois. Vendu en 1792 à l'anglais Flitche, le domaine passe ensuite entre diverses mains, notamment celles d'un auteur dramatique, Jean-François Bayard, et celles du premier prix Nobel de la Paix, Frédéric Passy ; puis il se dégrade peu à peu et il faut attendre l'action très récente de l'architecte O. Choppin de Janvry, restaurateur du pavillon chinois de L'Isle-Adam, pour espérer que renaisse la maison en bois de teck délavé par le temps et pourrissant dans l'humus depuis 1962.*

ford Hall (Essex), à Frederiksberg où, vers 1700, la famille royale danoise se fait élever une résidence d'été.

En 1704, Frederik IV et sa famille s'y installent et y viendront chaque automne pendant plusieurs années. En 1711, l'ensemble des bâtiments est terminé et en 1728, les jardins à la française de Scheel et Krieger déploient leurs somptueuses perspectives. Dès 1780, le parc est ouvert au public. Entre 1799 et 1800, il sera profondément modifié dans le goût anglais par Hauch, intendant des jardins, puis par Voigt pendant le règne de Frederik VI. Un pont chinois est construit pour mener à une petite île artificielle sur laquelle s'élève une harmonieuse maison du même style. Des cygnes-serpents constituent les arêtes faîtières de la toiture. Plusieurs fabriques classiques sont construites à cette époque dans le parc qui s'agrandit du bois de Søndermarken aménagé partiellement dans la tradition paysagère anglaise. Parmi les temples antiques et les grottes, se dresse un second pavillon chinois multicolore et décoré d'un mandarin ainsi que d'une « femme aux petits pieds [1] ». Dès 1826, les fabriques sont dans un état précaire et aujourd'hui le pavillon de Søndermarken n'existe plus, mais à Frederiksberg le pont introduit toujours le visiteur à ce refuge intemporel de méditation que constitue la maison aux cygnes-serpents.

37. *La Maison chinoise du parc de Frederiksberg. Gravure de 1888.*

38. *L'orangerie de M. Panckoucke, dans le* Traité de la composition et de l'ornement des Jardins, *Audot Editeur, Paris, 1839.*

39

Le catalogue de Richard Brown, *Domestic Architecture,* en 1841, propose un modèle de résidence chinoise à deux niveaux et deux pavillons accolés au corps principal du bâtiment. Mais l'ermitage d'exception fut sans contexte la Maison chinoise que M. de Monville, grand maître des Eaux et Forêts, éleva dans son domaine de Chambourcy, le Désert de Retz, visité et aimé plus tard par tous les surréalistes qui y entrèrent « comme dans leur propre rêve [1] ». « Jeune, veuf, riche et très beau, noble et romanesque », selon Mme de Genlis [2], entouré de musiciens, fréquentant le faubourg Saint-Germain, mais aussi l'architecte visionnaire Boulée, M. de Monville collectionnait les ouvrages de botanique et d'horticulture. En 1774, il achète une maison de campagne à Retz et jusqu'en 1786, il créera le plus étrange univers métaphysique : au-delà des diverses fabriques, la « colonne tronquée », résidence principale du domaine, est la projection architecturale la plus fantastique du secret intérieur d'un être. Assisté d'abord par l'architecte Barbier, puis seul, M. de Monville élève, en 1776, la Maison chinoise, unique exemple en Europe d'une réelle habitation bourgeoise de ce type. Le domaine fut classé par les Monuments historiques, contre la volonté des propriétaires ayant acquis le Désert en 1939 et laissant se dégrader l'ensemble. Colette, qui, entre autres écrivains, a parlé de Retz dans ses textes, pressentait : « Encore un peu de temps et le Désert ne sera plus qu'un poème à l'image d'une époque ; mais n'est-ce pas déjà beau que d'une époque on sauve un poème [3] ? » Il reste de la Maison chinoise de M. de Monville seulement quelques débris de bois délavés par le temps et pourrissant dans l'humus...

Dans son *Art d'embellir les paysages,* de 1782, Delille foudroie les architectes paysagers qui, dans un « amas confus [...] d'obélisque, rotonde et kiosques et pagode [...], enferment en un jardin les quatre parts du monde [4] ». Chambers fut d'autant plus critiqué, notamment par William Mason, que depuis Milton, Satan était souvent représenté en despote oriental. Mais « la leçon d'architecture dans un parc » en détachant l'homme du jeu optique de l'apparat pour le situer dans la nature et dans l'univers participe de la mutation du sens esthétique au XVIIIe siècle. Il s'agit moins alors de se référer au Beau que de ressentir dans des harmonies ténues l'émergence du Sublime.

40

41

39. *La Maison chinoise de Frederiksberg aujourd'hui.*

40. *Les « Quarters » d'Alresford Hall (Essex) ; le Colonel Rebow, dans les années 1770, utilise la présence d'un plan d'eau près de sa demeure pour aménager une maison d'évocation chinoise ; la tradition fut préservée par les descendants et en 1950, les Quarters deviennent un lieu d'habitation.*

41. *Un pavillon du Mulang chinois, à Kassel (R.F.A.).*

30

42-43. *Le village chinois de Drottningholm ; le roi Gustave III donnait par écrit des instructions détaillées pour régler les séjours à « la Chine » dans lequel les domestiques n'étaient pas admis : « Si le Roi dîne à la Chine et y passera toute la journée, cela sera annoncé au moment de son réveil. On mettra sur la porte de la chambre d'audience une carte avec un roi de cœur. [...] Si au contraire, le Roi dîne au Château, cela sera annoncé de même au réveil du Roi et on mettra sur la même porte un roi de pique. » (extraits des instructions royales « Séjour de Drottningholm », dans Ake Setterwall, op.cit.p. 29). Plus tard, Kina Slott, sera le lieu de garnison des troupes d'Oscar I en 1845 et enfin deviendra un musée.*

44. *Kiosque chinois du parc de Haga, autre propriété exotique de Gustave III de Suède.*

Les folies ou les demeures de la passion.

Le nom de « folie » désigna d'abord les constructions des jardins pittoresques réalisées avec des branchages, des « feuillies » ou feuillées. Puis ces petits édifices s'appelèrent « fabriques » et le terme de « folie » s'attacha à des constructions extravagantes et bizarres tant par leur caractère monumental que par l'aspect insolite des matériaux utilisés.

Dans l'introduction de son inventaire des folies des parcs anglais, Barbara Jones dit ceci : « Les folies sont élevées pour le plaisir, et le plaisir est personnel. [...] Les folies ont leur origine dans l'argent, la sécurité et la paix ; les gens pauvres en construisent rarement. [...] Le loisir et un confortable revenu monétaire sont indispensables soit pour suivre une

mode, soit pour exprimer le malaise et l'ennui qui donnèrent naissance aux folies les plus excentriques. [...] Il y a dans les folies plus de sensibilité et d'émotion que dans n'importe quel autre domaine d'architecture. » Les thèmes exotiques furent favorisés par cette mode ; venus d'ailleurs, les édifices chinois semblaient particulièrement représentatifs du merveilleux, du rare, de l'étonnant... Depuis le XVIe siècle, les familles princières d'Europe collectionnaient les objets exotiques dans leurs « cabinets de curiosité » ; elles se mettent à jouer « à la Chine » quelques heures par jour, et c'est pour ce plaisir d'esthète privilégié que chacune érigera son décor fantastique, parce que l'on veut « des épices et des chocolats sur sa table [1] »...

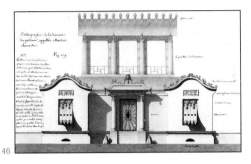

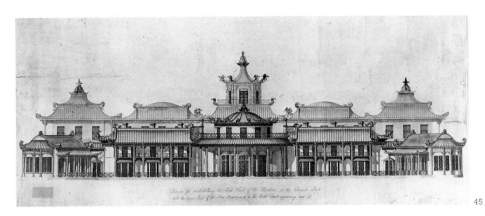

Le décor dépasse rapidement le cadre d'un salon de musique ou d'une chambre rococo-chinoise. En 1670, Louis XIV offre à Mme de Montespan le Trianon de Porcelaine, construit à Versailles selon les dessins de Louis Le Vau. Le nom de l'édifice évoquait la Pagode de Porcelaine de Nankin, connue depuis la description qu'en fit Nieuhoff en 1653. Le trianon est un bâtiment de facture classique dont la façade est ornée de faïences bleues et blanches dans le goût chinois. De même, le Pagodenburg, construit par Josef Effner pour Max Emmanuel de Bavière entre 1716 et 1719 dans les jardins du palais de Nymphenburg à Munich, évoque l'Asie seulement par son nom et ses faïences de Delft.

En 1723, l'architecte Pöppelmann transforme le palais de Dresde en un palais japonais où la fabrique de porcelaine d'Auguste le Fort, roi de Pologne, devait trouver un lieu d'exposition. Des cariatides japonaises et un toit aux formes légèrement concaves sont associés à une architecture de style plutôt classique ; de même le « Wasserpalast » d'Auguste à Pillnitz (1720-1732), avec ses clochetons et ses fenêtres, juxtaposés sur une façade aux lignes sobres. Mais ces palais préfigurent les folies exotiques construites à partir du XVIIIe siècle.

Dans une lettre adressée en 1754 à sa mère, Sophie-Dorothée de Prusse, la reine Ulrika de Suède, décrit le pavillon chinois que le roi lui a offert pour ses trente-quatre ans. Son fils, costumé en mandarin, lit un poème et lui remet les clés du pavillon. Elle y pénètre alors pour découvrir des panneaux décorés de pagodes, d'oiseaux et de vases. Les sofas sont recouverts de tissus des Indes et le mobilier est fait de laques japonaises. La fête se poursuit par la présentation d'un ballet chinois. Quinze jours avant l'anniversaire de la reine, le corps des Cadets s'installa à Drottningholm, se souvient P. M. Adlerfert qui était l'un deux. Les jeunes gens furent initiés aux exercices du protocole chinois mis en place pour la remise du pavillon. Le 24 juillet à quinze heures, après les para-

45. *Projet pour le Pavillon Royal de Brighton, dans le style chinois, de l'architecte W. Porden, vers 1805.*

46. *Projet de Lequeu pour une maison chinoise, XVIIIe.*

47. *Projet pour une maison chinoise au parc de Beloeil (Belgique).*

des dans le parc, la famille royale s'avança vers le pavillon près duquel Adlerfert et ses compagnons, habillés à la chinoise, attendaient, prêts à exécuter les exercices qu'ils avaient tant répétés... On suppose que Harleman, architecte de la cour, conseilla le roi Adolf Fredrik pour les plans du pavillon. Dès 1758, on entreprit le pavillon du Roi et le pavillon de réception, appelé Confidence, réalisés l'un et l'autre avec des matériaux durables. Durant l'hiver 1762-1763, le pavillon de la Reine est aussi remplacé par un bâtiment de pierre, sous la direction de Adelcrantz et Cronsteolt, les deux nouveaux architectes de la cour ; il se composera d'un pavillon central, et de deux petits pavillons, la pièce de Billard et le pavillon d'Argent [1]. L'ensemble appelé Kina Slott fut un des lieux de distraction privilégiés du roi Gustav III, le jeune prince héritier qui avait offert autrefois le premier pavillon chinois à sa mère. Il y avait lecture dans le salon blanc et or, des tables de jeu dans le pavillon vert et or... Gustav III appelait Kina Slott le lieu « chéri de [ses] loisirs et la douce retraite de [ses] peines ». Le « village » chinois est aujourd'hui un musée.

La villa Sans Souci, construite de 1754 à 1757 par J. G. Büring pour Frédéric le Grand, fut, elle aussi, une demeure du merveilleux. Des colonnes dorées, simulant une végétation luxuriante, soutiennent deux auvents. Des personnages d'or, mandarins et dames de cour écoutent, dans la beauté de leur visage immobile, la symphonie fantastique des flûtistes et harpistes aux parures de fantaisie.

A Beloeil (Belgique), le prince de Ligne, en réponse aux jardins de l'Intelligence créés par son père, fait aménager les jardins du Cœur. Il y veut un village tartare, une pagode pour ses tourterelles, un temple indien... mais ne réalisera pas son projet en entier. En 1784, Catherine de Russie fait construire par l'architecte écossais Charles Cameron à Tsarskoïe Selo (U.R.S.S.) un village chinois de dix-huit maisons autour d'un temple et d'une pagode. A Hessen-Kassel (R.F.A.), dans le parc où Francesco Guerniera a aménagé de somptueuses cascades, Frédéric II élève lui aussi un village modèle entre 1781 et 1797, le Mulang chinois, constitué d'un pavillon à un étage, de maisons, de fermes. On dit qu'il y utilisait des serviteurs nains, faute de pouvoir en obtenir de Chine.

Ferdinand IV, roi de Naples et des Deux-Siciles, en exil depuis que l'armée napoléonienne s'était enfoncée très avant en Italie, acquiert un

48. *Gravure du XIXᵉ de la Maison de thé de Sans Souci à Potsdam.*

49. *Gravure de 1873 du village chinois de Catherine II, à Tsarskoïe Selo (Léningrad).*

domaine en dehors de Palerme, au pied du mont Pellegrino, où la noblesse sicilienne avait établi ses quartiers d'été ; une petite maison dans le goût chinois — la casina — s'y élevait. Ferdinand se souvient-il des faïences chinoises réalisées par la manufacture de Capodimonte pour un des salons de Portici, demeure des rois de Naples ? Il demande à Giuseppe Patricola, architecte de tendance néo-classique, de réaliser un palais dans le style chinois pour son parc de la Favorite. Des motifs chinois sont peints en trompe-l'œil sur la façade, un double parasol coiffe le toit du dernier étage. Mais les péristyles à colonnades, l'ordonnance des escaliers, les deux terrasses rectilignes et la couleur pastel du crépi restent très italiens. Lors des fêtes, tous les serviteurs étaient vêtus à la mode chinoise [1]. Le reste du temps, ils n'étaient pas admis dans la villa. Ferdinand IV préparait lui-même, dans les cuisines du sous-sol, des pâtisseries que la reine servait dans la salle à manger au décor chinois. Salons

50-51-52. *La villa chinoise de la Favorite, à Palerme : les communs, détail de la façade et vue d'ensemble.*

53-54-55. *Dans les trompe-l'œil de la décoration intérieure de la Favorite, la part accordée à l'architecture exotique est particulièrement importante : pagodes, kiosques et pavillons chinois donnent au visiteur une vision panoramique le laissant dans l'impression étrange de n'être plus dans un décor, mais de participer à une scène de vie lointaine.*

53

54

55

de réception, salons intimes, chambres et boudoirs chinois, turc ou pompéien, offrent, pour le plaisir d'un voyage immobile, des peintures de végétations luxuriantes, de paons et de colibris, de dragons excentriques, de volières délicates, de savants treillis, ainsi que de scènes villageoises et princières chinoises. Dans ces trompe-l'œil des murs et des plafonds, la part accordée à l'architecture est particulièrement importante : pagodes, kiosques, pavillons servent d'arrière-plan à des personnages rouge et or, aux coiffes extravagantes, qui appartiennent encore au monde imaginaire de Watteau et Boucher. A déambuler dans cette vision panoramique, le visiteur perd le sens de l'espace tant les perspectives se succèdent ; mais à regarder dialoguer les personnages au colibri ou à l'éventail s'évanouit la dimension du temps, car il suffirait d'enjamber cet encadrement de treillis pour — n'en doutons pas — prendre part à la conversation d'un groupe, partir le long du chemin qui serpente dans les rizières, et rejoindre cet enfant devant une maison fragile comme un papier de soie...

Derrière une grille ornée de clochettes chinoises, le jardin de buis est ponctué de fontaines italiennes. Le circuit d'une rivière artificielle et un ponton, où venaient peut-être accoster les barques de fête, se devinent encore malgré l'état d'abandon des lieux. La villa a malheureusement fermé ses portes au public. Mais le jardin d'entrée a été transformé en parc public ; un cheval de bois de manège introduit à deux autres pavillons exotiques : une chapelle byzantine et un bâtiment de communs de style chinois qui accueille le musée d'ethnologie sicilienne créé par G. Pitré au début du siècle.

Les folies ont été décriées parce qu'elles sont associées au XVIIIe siècle dans sa frivolité et son luxe exagéré. Fantaisies narcissiques, elles évoquent trop souvent un éden en marge de la société et de ses problèmes économiques et humains. Mais elles participent aussi d'un désir « fou » d'absolu. Elles relèvent peut-être plus de la passion que de l'ennui à combler. Certaines folies seront construites aussi parce qu'un voyageur aura été ému jusqu'à l'extrême par une architecture, une atmosphère, voire un regard, contenant dans leur espace tout un art de vivre qui l'aura bouleversé à jamais. Nostalgie d'une vie rêvée, d'un paradis entrevu un instant, cette fascination trouve peut-être sa première expression lorsque Filippo Augustariccio éleva le cloître du Paradis à Amalfi (Italie) au XIIIe siècle, en souvenir tant des merveilles de Constantinople que d'une certaine qualité de la lumière à laquelle il avait particulièrement vibré. Enchâssant dans leur âme leurs découvertes inouïes sous la forme d'un amour tenace, négociants ou diplomates du XIXe et du XXe siècle — mais il ne s'agit plus de classe sociale, de niveau de culture ou de prestige d'esthète — marquent à leur retour leur environnement de manière à la fois visible et pourtant parfois quasi secrète, donnant naissance à des lieux privilégiés de poésie.

Ainsi, l'histoire extraordinaire du Cos d'Estournel commence lorsque Louis-Gaspard d'Estournel hérite, peu après 1800, du domaine viticole familial. Passionné de chevaux, il importait des étalons arabes et eut l'idée de charger à l'aller ses bateaux de barriques de vin de Cos pour les vendre en Orient. « La légende veut que certaines de ces barriques lui revinrent invendues et que le vin qu'elles contenaient ait gagné dans le voyage une rondeur et une souplesse incomparables qui lui permirent d'en obtenir le plus haut prix sur la place de Bordeaux. Enchanté de cette expérience, il aurait poursuivi ces aller-retour pour l'Orient, lançant la vogue des vins " retour des Indes" [1]. » En 1830, Louis-Gaspard d'Estournel établit les plans de nouveaux chais et cuviers que Stendhal

MIS EN BOUTEILLE AU CHATEAU

COS D'ESTOURNEL **1954**
SAINT-ESTÈPHE
APPELLATION SAINT-ESTÈPHE CONTROLÉE

56

57

note en 1838 dans ses *Mémoires d'un touriste*. « Fasciné par ses voyages vers l'Est, il décore ces bâtiments, qui ne sont après tout que des communs, d'arcades orientales, les surmonte de tourelles aux toits de pagodes et dresse un arc de triomphe portant ses armes et son émouvante devise '' Semper Fidelis ''. Comme il a choisi une pierre jaune qui brille au soleil, l'édifice semble d'or. L'ensemble est féerique. On ne peut se défendre d'une certaine émotion quand on pense que cette « folie » n'abrite que du vin...Mais quel vin... Très vite, les installations de Cos sont considérées comme un modèle et la réputation du cru ne cesse de grandir. D'Estournel, lui, est à bout de force et d'argent ; en 1852, il se résout à vendre. Il meurt l'année suivante [1]. »

En 1972, Jean-Marie et Bruno Prats, les propriétaires actuels de Cos, font l'acquisition d'une porte étonnante venue d'Afrique ; une famille de la région de Quissac la conservait pieusement dans un grenier depuis plusieurs générations. Mais quel est le secret de cette porte magnifique ? « Les grands parents de l'actuel propriétaire [...] étaient des négociants qui entretenaient des relations commerciales avec les pays d'outre-mer. Aux Indes, ils se lièrent d'amitié avec le sultan de Zanzibar. Celui-ci les invita dans son palais et, pris d'un élan de générosité, leur proposa d'emporter en souvenir ce qu'ils voudraient. Les Gardois choisirent la magnifique porte du palais [2]. » Elle arriva à Quissac accompagnée d'un salon en bois doré et d'une jeune esclave noire. Insérée à Cos, comme porte principale du chai chinois, cette acquisition perpétue ainsi, au lieu de la méconnaître, l'originalité du fondateur de ce domaine prestigieux.

Un voyageur français utilisa aussi l'architecture exotique pour une « folie fonctionnelle » : à son retour dans le Gers, après plusieurs années passées au Japon comme ambassadeur, Raymond de Montbel éleva vers 1880 dans le parc du château familial un haras de style japonais pour ses chevaux qui bénéficiaient d'une renommée internationale ; de facture rustique, il fut construit par les artisans de la région.

Mais ces constructions exotiques ne furent pas seulement l'apanage des siècles passés ; au XXe siècle, des « architectes » de folies existent encore... nous les avons rencontrés !

Après une période de voyages, un aristocrate fait l'acquisition en 1938 d'une propriété de trente hectares en Ile de France, qu'il va complètement remodeler ; elle comprenait un château de la Restauration et un parc incluant un étang naturel. En quelques années, il crée un « jardin à la mode » en s'inspirant de Retz, de Monceau et de Bagatelle, ainsi que de ses propres émotions de voyage. Il se fait aider par un aquarelliste et par un architecte qui transposait les aquarelles en dessins ; ceux-ci étaient alors réalisés en maquette pour guider ensuite le travail des artisans constructeurs. Des folies classiques (comme une volière, un théâtre de verdure, un pont à colonnades palladiennes) voisinent avec les symboles des parcs exotiques : le temple en forme de pyramide, la pagode et la tente turque. La tente turque est copiée très exactement sur celle de Drottningholm en Suède [3]. La pagode fut construite après 1960 au milieu d'un étang ; en bois peint, surmontée de trois niveaux de toits incurvés décroissants, elle évoque tout à fait par sa simplicité et l'agrément de la pièce d'eau qui l'entoure ce charme qui avait inspiré les premiers créateurs anglais. Aujourd'hui la famille du fondateur du domaine, contribue à conserver l'ensemble dans son esprit d'origine malgré toutes les difficultés que peut représenter de nos jours l'entretien d'un tel patrimoine esthétique.

Par contre, c'est l'exil qui motiva la construction certainement la plus élaborée qui se trouve en région parisienne.

59

59. *La pagode chinoise de Rambouillet.*

60. *Le projet dessiné par Tchengivane pour sa pagode, à Rambouillet.*

61. *Le haras japonais de M. de Montbel.*

62. *Pagode chinoise construite en 1960 en Ile-de-France, dans l'esprit anglo-chinois du XVIIIe siècle.*

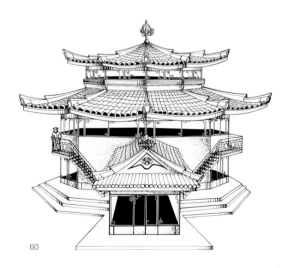

60

« Lorsqu'il reçut l'invitation pour le premier coup de pioche aux fondations de la Pagode, en 1978, dit Tchengivane, un journaliste crut à un canular... » Tchengivane quitta sa Chine natale en 1951 pour s'installer en France ; depuis lors, elle s'est attachée à faire connaître tous les aspects de la tradition chinoise. En 1973, elle crée à Rambouillet l'association Tradition Tao antique et décide de lui donner pour cadre une pagode répondant scrupuleusement à la symbolique taoïste de l'espace. Tchengivane réalise elle-même les plans de la pagode qu'elle veut élever dans le jardin de sa demeure de Rambouillet ; il faudra attendre une année le permis de construire, puis lutter pour défier les difficultés techniques afin de respecter le sens symbolique de la construction. La pagode a deux étages de forme octogonale à l'extérieur mais délimitant un espace circulaire au sol à l'intérieur. La référence de cet aménagement, dans l'esprit des huit trigrammes du *Yi-king* (livre chinois de l'ordonnance du monde), est constituée par la symbolique des nombres. Les balustrades de chaque étage sont décalées selon une proportion elle aussi à valeur symbolique. Au faîte des onze mètres de toiture devrait être posé un lotus de cuivre repoussé. Tchengivane déplore certaines concessions : les tuiles ne sont pas vernissées, les seize angles des toits ne sont pas garnis d'arêtes réalisées en Asie... Percussions chinoises, gongs, grelots, tambours, clochettes, sont disposés tout au long de la courbure du parquet et donnent à l'espace de la salle cette vibration qui incite à la méditation.

61

62

« *En petit train électrique, aller de Madagascar au Portugal.* »

La connaissance de l'architecture exotique prend un large essor à partir du Second Empire. Les expéditions colonisatrices valorisées par la presse, font découvrir aux Européens des images nouvelles : paysages, monuments, types humains, situations sociales sont proposés, non sans ambiguïté, à la curiosité prudente des nations.

Les Expositions internationales sont instituées dans l'intention de renforcer le prestige de gouvernements travaillant à assurer l'harmonie des familles, le progrès et la prospérité des nations et de l'humanité. Par leur éclat, elles doivent justifier une idéologie tant politique que sociale. L'effort colonial et les bienfaits du colonialisme sont au centre des préoccupations de leurs organisateurs. Les Expositions de 1851 et 1886 à Londres, 1883 à Amsterdam, 1924 à Wembley, 1931 à Paris, cherchent à prouver que les combats coloniaux peuvent avoir un sens et font une place à l'économie et à l'art des pays sous tutelle.

Désormais, « pour aller en Chine, l'on s'embarque à Hereford Suspension Bridge, à deux pas de Trafalgar Place [1]. » On peut, en petit train électrique, aller de Madagascar au Portugal « sans roulis ni tangage ». « Éreinté, fourbu, ébloui, je ne distingue plus où je me trouve : Chine, Tonkin, Afrique ? Seul l'odorat tient encore [...], un arôme de saucisson à l'ail me chatouille [...] [2]. » Les familles partent retrouver dans l'architecture de « l'Expo » les monuments découverts sur les images des boîtes de cacao, des tablettes de chocolat... Le « véritable extrait de viande Liebig » propose un « voyage autour du monde en douze mois », les cubes Oxo, « l'histoire de Confucius », Phoscao, « les habitations autour du monde », les biscuits Pernot, « le travail chez tous les peuples »... Au retour, les enfants peuvent perpétuer le ravissement entrevu un instant en construisant la maison javanaise ou le temple chinois que proposent les images d'Épinal.

Le déclin du goût chinois.

En 1842, les Londoniens ont pour la première fois la chance de pouvoir prendre un contact direct avec la Chine. Nathan Dunn, qui y avait vécu douze ans et faisait le commerce des œuvres d'art chinoises, organise une exposition à Hyde Park Corner. Après le kiosque d'entrée, les visiteurs découvrent un temple où sont exposées trois cents peintures et des maquettes de pagodes, de maisons, de ponts, réalisées par des Chinois.

Lors de l'Exposition universelle de Paris, en 1867, les organisateurs décident de faire découvrir la Chine authentique à « celui qui ne [la] connaît que par les décors de la porte Saint-Martin ou de l'Opéra [3] ». Il s'agit de créer sur la place du Champ-de-Mars « une véritable habitation chi-

L'ASIE, DU RÊVE POÉTIQUE À LA RÉALITÉ POLITIQUE : LES PAVILLONS D'EXPOSITION

« La Chine était trop loin, on vous l'a apportée. La Chine s'est conduite avec vous comme le prophète avec la montagne : voyant que vous n'iriez pas vers elle, miracle tout aussi grand, elle est venue vers vous [4]. »

63

63. *A l'Exposition Universelle de 1900, à Paris, l'architecte Alexandre Marcel réalise le « Panorama du Tour du Monde » conçu par le peintre Louis Dumoulin. Le Palais se compose de la juxtaposition de lieux d'architecture caractéristiques des principaux pays du monde ; à l'intérieur, des villageois venus de ces pays représentent des scènes animées devant des toiles peintes situant le décor.*

64. *Pavillon de thé, Exposition Internationale de Vienne, 1873.*

65. *Le palais du Dragon Noir, Exposition Universelle de Paris 1900, dont la plupart des détails ont été copiés sur les palais impériaux de Pékin.*

66. *Le palais de l'Annam et du Tonkin, Exposition Internationale de Lyon, 1894.*

64

65

66

Exposition Universelle de Paris 1878.   CHINE

67

CHINE.

68

Expⁿ Univ.ᵉ de Paris 1878.   CHINE

69

noise dans toute sa réalité saisissante, [d']initier l'Européen à la civilisation, à la vie intérieure d'un peuple encore peu connu, bien qu'il en ait été beaucoup parlé [1] ». La cour de Pékin, sollicitée, refusa sa participation. Le marquis d'Hervey de Saint-Denis, qui avait habité la Chine pendant de nombreuses années et en parlait parfaitement la langue, s'inspira pour l'Exposition d'un album présentant la collection complète des élévations et des plans du palais d'Été. Cet album, sauvé « du sac » par le colonel Dupin, avait été déposé à la Bibliothèque impériale. L'architecte Alfred Chapon fut chargé de reconstituer le kiosque de thé où l'empereur se rendait chaque jour. A l'Exposition, le grand public découvre à la fois le thé, les manières de table déconcertantes de l'art culinaire chinois, et les tuiles vernissées des toits recourbés : « On pénètre dans le jardin en passant sous un portique en bois découpé jaune et rouge ; le toit couvert en paille hachée d'une façon particulière se relève en pointe aux extrémités. Deux petites cabanes en bambou et en paille, tapissées de nattes de Chine, servent de péage. Le jardin est planté d'arbres et de fleurs rapportés de Chine. Une allée en pente conduit au pavillon principal. [...] Le pavillon n'a qu'un étage ; au rez-de-chaussée, sous la marquise, est installé le bazar que tient le négociant chinois établi rue Tronchet. Le kiosque est vitré ; là sont réunis, sous le nom de Musée chinois, les objets les plus rares. [...] Au premier étage se trouvent le café et le restaurant ; comme au rez-de-chaussée, pas de cloisons, mais un vitrage recouvert par de charmants stores bleus. [...] Le pavillon principal n'a pas d'escalier intérieur. On monte au café par un escalier en bois jaune et noir qui dessert en même temps un petit kiosque latéral où se trouve installé le magasin de thé. Le kiosque affecté à la vente du thé mérite une attention spéciale. Rien de plus coquet et de plus réussi que cette charmante petite habitation. On y découvre des détails inouïs, pris sur le fait, une fenêtre, entre autres, affectant la forme d'une feuille, qui est un véritable chef-d'œuvre. Sur le toit s'épanouit, en guise de girouette, un poisson rouge et vert, ornement fort apprécié en Chine [2]. » Dans la section des commerces se trouve aussi reproduite une boutique chinoise qui expose plusieurs collections de vases, meubles, ivoires...

La Chine qui n'avait été qu'un lieu imaginaire pendant plus de deux cents ans affiche soudain un pan de sa réalité. « On commence à ne plus croire que le ciel y soit en laque rouge ou noire sur lequel se découpent des arbres d'or et volent des grues aux ailes argentées, au-dessus d'un sol composé uniquement de kaolin. On admet que la Chine n'est pas peuplée exclusivement de poussahs [3] aux yeux obliques, au sourire béat, hochant la tête quand le vent agite les sonnettes aux angles des toits retroussés en sabot, de femmes en porcelaine chancelant sur leurs petits pieds, et de mandarins ventrus célébrant la fleur de pêcher ou les reines-marguerites en buvant des tasses de sou-chon comme on en voit dans les peintures des écrans. Les potiches, les paravents, les cabinets et les émaux cloisonnés ne sont plus nos seuls renseignements [4]. »

Mais au fur et à mesure que la France, l'Angleterre, la Hollande constituent des empires coloniaux, l'intérêt pour la Chine s'estompe. A l'Exposition universelle de Vienne, en 1873, elle est évoquée par un pavillon de thé. A l'Exposition universelle de Paris, en 1878, un palais chinois aux portes massives décorées de monnaies dorées côtoie une demeure de mandarin et une maison de la région de Tien-Sin.

Dès l'Exposition universelle de 1889, la section chinoise est réduite à un petit bâtiment de bois composite représentant une aile de monastère bouddhique. Le décor extérieur de bois sculpté et peint vient de Chine. L'Exposition du Trocadéro, en 1900, présentera encore une re-

67-68-69-70. *Chromo-lithographies populaires de quatre types d'architecture chinoise, Exposition Universelle de Paris, 1878.*

production du palais du Dragon noir et de la somptueuse porte du temple de Confucius à Pékin. Dans le « Panorama du tour du monde » élevé par l'architecte Marcel et le peintre Dumoulin pour la Compagnie des messageries maritimes, les maisons populaires aux toits vernissés remplacent les riches demeures généralement privilégiées par les Expositions universelles. A Liège, en 1905, un bâtiment de bazars chinois témoigne du déclin définitif de la mode du goût chinois. Seule l'Exposition ibéro-américaine de Séville en 1928 évoquera encore une fois la Chine avec le pavillon de Macao et le pavillon d'attractions réalisé par l'architecte français C. Besson. Les pays des conquêtes politiques vont remplacer l'Asie du rêve poétique.

71

71. *Porte de l'Annam, Exposition Coloniale de Marseille, 1906.*

72. *Temple birman, Exposition de l'Empire britannique à Wimbley, 1924.*

73. *La pagode royale khmère de l'architecte A. Marcel, construite sur la colline du Trocadéro pour l'Exposition Internationale de Paris, en 1900.*

74. *Pagode indochinoise à l'Exposition Coloniale de Marseille en 1906, reproduisant la tour de Linh Mu de Hué.*

72

73

La glorification de l'épopée coloniale.

L'architecture des colonies françaises fait son apparition à l'Exposition de 1889 avec des constructions représentatives des styles propres aux divers pays de l'Indochine. Un village tonkinois de bambou et de torchis présente ses demeures d'artisans et de bonzes, et sa maison commune. Tous les regards sont attirés par le théâtre annamite aux couleurs « jaune et rouge, au toit retroussé de quatre coins en pointe de sabot, orné de bois découpés et montrant, sur ses frontons, de gros dragons enroulés, peints en couleurs violentes [1] ».

De grands palais sont construits pour abriter les expositions. L'entrée principale de celui de l'Annam et du Tonkin, élevé par l'architecte M. Vildieu, reproduit le porche de la pagode de Quan-Yen. Le palais de la Cochinchine, le plus éblouissant par les lignes et les couleurs, reproduit dans sa partie centrale un temple identique aux édifices annamites longuement étudiés par l'architecte M. Foulhoux, directeur des travaux publics en Cochinchine. « Sur la crête du toit principal se déroule une merveille d'art décoratif, conception d'art barbare et raffiné, vision modelée, où s'entremêlent d'une façon naïvement terrifiante des théories de personnages minuscules et des replis gigantesques de monstres reptiliens. [...] Et tout cela se profile sur le ciel, couronné par la sinuosité des serpents, surmonté par un objet d'étrange caprice, astre ou fleur, peut-être l'un et l'autre, produit d'une immémoriale fantaisie... [2]. »

74

45

A chaque Exposition, le visiteur fait l'apprentissage de formes architecturales contrastées, allant de l'esthétique massive et rude de Hué, au raffinement sophistiqué des courbes savantes de l'Asie du Sud-Est. C'est avec les Expositions coloniales de 1922 et 1931 que l'architecture de l'Indochine connaît son apothéose. A Marseille, en 1922, une véritable rue annamite habitée par toute une population d'artisans et d'ouvriers s'ouvre par un portique monumental. Sur une place, au centre de laquelle la pagode de Mot-Cot émerge d'un vaste bassin, s'élève la maison commune de Cochinchine, rapportée pièce par pièce de Thudaumot par M. Joyeux, inspecteur général des Écoles d'art indochinoises. Plus loin, un restaurant annamite dresse des tables de laque rouge sous des vérandas parées de lanternes multicolores.

75

L'Exposition coloniale de 1931 représente un événement mondial : elle souligne l'effort entrepris par la France, « œuvre de paix », avec ses kilomètres de voies ferrées, et ses millions de vaccinations... et trouve peut-être ainsi le moyen de « gommer » d'autres faits moins glorieux. Le pavillon de la Cochinchine réalisé par l'architecte Sabrié abrite une collection de plans et de photographies de Saïgon et de Cholon opposant les aspects urbains traditionnels et les transformations de l'urbanisme colonial.

Le Laos est évoqué par la réplique d'une des plus vieilles pagodes de Luang-Prabang, le Vat Xienght Hong, à l'intérieur duquel les visiteurs peuvent contempler de très belles statues de Bouddha. Un petit pavillon reproduit la bibliothèque religieuse de Sisaket, à Vientiane, où sont conservés les livres saints du principal temple de la capitale du Laos. Une chapelle, une porte de style néo-birman et un pavillon de style laotien où sont exposés des bijoux, des étoffes et des tableaux complètent l'ensemble élevé sous la responsabilité des architectes C. et G. Blanche.

L'Annam est représenté par une reproduction réduite du pavillon du Quöc-Tu-Giam à Hué et par une reproduction exacte de l'un des principaux temples du Thai-Mieu au palais impérial de Hué (architectes : Blanche et Gastes). A l'intérieur de ce pavillon, plusieurs dioramas présentent aux visiteurs les principaux types d'habitat propres à chaque ethnie de l'Annam : les Cham, les Moï et les Muong. Cinq maisons avec

75. *Le pavillon des Missions catholiques élevé par l'architecte Paul Tournon à l'Exposition Coloniale Internationale de Paris en 1931, aujourd'hui paroisse Notre-Dame-des-Missions à Epinay-sur-Seine.*

76. *Rue de Saïgon à l'Exposition Coloniale de Marseille, en 1906 .*

76

77

77. *Le pavillon des Indes néerlandaises, élevé par les architectes Moojen et Zweedyk à l'Exposition Coloniale Internationale de Paris en 1931 ; pour élever le temple de l'Exposition, Moojen partit pendant six mois rassembler sur place la documentation dont il avait besoin. L'intérieur du pavillon comprenait une salle consacrée à l'architecture, un restaurant, un théâtre, et une reproduction authentique du temple javanais de Mendout ; dans le hall, une carte de Java avait été établie. Un petit train électrique circulait sur celle-ci, éclairant, lors du passage aux points remarquables, les paysages et les noms concernés.*

78. *Porte de Macao du jardin d'Outre-Mer à Lisbonne.*

78

79. *Danseuses évoquant une scène du*
Ramayana *à l'Exposition nationale
Coloniale de Marseille, en 1922, devant le
temple d'Angkor ; dès 1889, à l'Exposition
de Paris, le spectacle avait obtenu un
succès immense.*

80. *Pour le palais de l'Indochine à
l'Exposition nationale Coloniale de
Marseille en 1922, l'architecte Delaval a
choisi d'édifier une reproduction du
temple d'Angkor Vat.*

boutiques ou ateliers et une maison commune à l'image du Dinh de Dinh-Bang, un des villages les plus importants, avec entrée à trois portes et cour intérieure cernée de galeries, représentent le Tonkin (M. Sabrié, architecte).

Notons encore que le pavillon de la Presse coloniale, élevé par M. Blanche, est de style annamite : surmonté d'une tour, il comporte un bâtiment de deux étages. Le pavillon des Missions catholiques, église de style indochinois aux toits de tuiles turquoise et à la façade de faïence décorée d'inscriptions chinoises, élevée par l'architecte Paul Tournon, marque l'expansion catholique dans le monde.

Les récits des voyageurs portugais du XVIe siècle sur les ruines d'Angkor passaient pour des fables. Mais, en 1858, lors d'un voyage dans les pays cambodgiens, le naturaliste Henri Mouhot découvre un jour un « véritable poème de pierre » qui va étonner l'Europe dès après l'occupation française de la région. Pour l'Exposition de 1878, Émile Soldé réalise une maquette du temple d'Angkor. A l'Exposition de 1889, une partie du temple est reproduite « presque en ses dimensions ». La profusion des motifs, des mouvements, des frontons et des piliers, le fourmillement des pierres ouvragées, confèrent à cette architecture une vie intense et inattendue. « Le passage du plan carré à la forme ronde au sommet de la pyramide » et la manière dont « les Cambodgiens, ne sachant pas contrebuter leurs voûtes en berceau, les étayent parfois de poutres transversales [1] » passionnent les spécialistes. A l'Exposition de 1900, l'architecte Marcel fait ériger sur les pentes du Trocadéro, dans une reconstitution de jardin tropical, au sommet d'un escalier monumental flanqué de dragons fantastiques, une pagode royale surmontée du grand Phnom : à l'intérieur, il reproduit dans de somptueuses salles souterraines, des parties d'Angkor Vat ; pour ses scènes du « tour du monde », c'est aussi le temple d'Angkor que choisit le peintre Dumoulin et il le resitue dans un lointain de brumes et de végétations luxuriantes, alors qu'au premier plan les danseuses, qui eurent tant de succès à Paris en 1889, jouent une scène du *Ramayana*.

C'est avec les Expositions de 1922 à Marseille et de 1931 à Paris que l'évocation d'Angkor atteint son apogée. En 1922, l'architecte Delaval reconstitue la partie centrale du temple couronnée d'un dôme qui domine l'ensemble de sa flèche de cinquante-quatre mètres. Les moula-

ges des bas-reliefs, des statues, des frises, ont été exécutés à Angkor. A Vincennes, en 1931, à l'extrémité d'une allée longue de cent cinquante mètres, s'élève à nouveau cette architecture fascinante. Des relevés opérés sur place ont permis de reconstruire avec une exactitude absolue les proportions et les détails décoratifs de l'édifice. Les architectes Charles et Gabriel Blanche donnèrent même « à la réplique du temple édifiée à Vincennes cette patine qui semble millénaire tellement elle reproduit exactement les tonalités du monument original [1] ». Le travail de recherche consacré à cette reconstitution avait demandé six années.

Pour la première fois, est réalisé à Vincennes un modèle d'architecture civile cambodgienne. M. Groslier, qui connaît parfaitement les règles de l'architecture vernaculaire, réalise un pavillon constitué d'un sanctuaire et de galeries d'exposition. Les trois portes en bois massif et le portique d'entrée ont été sculptés par les artisans de l'École des arts de Phnom-Penh. Dans le pavillon, « le visiteur circule [...] et pour que son illusion de réalité soit complète, il verra par les fenêtres ouvertes des dioramas qui reproduisent des paysages du pays tout comme si ce spectateur se trouvait au Cambodge dans les mêmes conditions. Il prend ainsi contact avec des types de tous âges, des costumes, des attitudes... [2]. » La reconstitution d'une cérémonie religieuse se déroulait dans le sanctuaire. « Quel Jérémie viendra jamais faire entendre, en ces parvis désertés, sa lamentation navrante : ''Comment est-elle devenue solitaire, la cité qu'un grand peuple habitait'' ? » s'exclamait le journaliste officiel à propos du temple d'Angkor à l'Exposition de 1889. A cent ans d'intervalle, ou presque, cette remarque prend de nouvelles dimensions dramatiques...

Mais les colonies françaises ne sont pas l'Asie entière... Les grandes Expositions européennes faisaient, à coté de l'architecture des colonies françaises, une place de choix à celle des Indes néerlandaises, notamment. Dès l'Exposition de Paris de 1889, le Kampong javanais fait miroiter « les lointains paradis où brûlent autour des bienheureux d'éternels parfums dans d'inépuisables cassolettes [3] » et donne une impression d'art vraiment inattendue et délicieuse. Avec l'Asie du Sud-Est, l'Europe découvre l'architecture de bambou : cases sur pilotis, parois de treillis savamment tressées, toitures de jonc et de feuilles de palmiers... On a reconstitué un grenier sur pilotis dans lequel on s'introduit par une

82

81. *Maison japonaise à l'Exposition Internationale des Arts Décoratifs de Paris en 1925, construite par des architectes japonais.*

82. *Chromo-lithographie populaire du pavillon du Japon, à l'Exposition Universelle de Paris en 1878.*

83. *Banque de Yokohama, Exposition anglo-japonaise de Londres, 1910.*

84. *Scène de rue en fête au Japon, Exposition anglo-japonaise de Londres, 1910.*

— 81

Yokohama Specie Bank,
Japan-British Exhibition

672.

VALENTINE'S SERIES
COPYRIGHT.

83

A Street Scene in Fair Japan,
Japan-British Exhibition.

751.

VALENTINE'S SER
COPYRIGHT

84

85. *Pavillon chinois au parc de Cliveden, transféré de l'Exposition Universelle de Paris de 1867.*

86. *Le pavillon du Laos, Exposition Coloniale de Marseille en 1906.*

87. *Théâtre annamite, Exposition Coloniale de Marseille en 1906.*

lucarne haute, au moyen d'une échelle. Puis viennent l'auberge du village à la galerie spacieuse étayée de forts piliers et la salle commune meublée de couchettes de bois et de nattes de bambou tressé. Le pavillon de Sumatra est aménagé en buvette.

A l'Exposition de 1900, les Pays-Bas font découvrir le temple Djandi Sari de Java dont les soubassements ont été montés sur les bas-reliefs de Borobudur. Deux maisons du haut plateau de Padang, à Sumatra, l'encadrent de leurs façades polychromes en bois sculpté. Leurs toits de chaume, redressés vers le ciel, sont décorés sur leurs arêtes par des bandes de métal scintillant au soleil.

En 1931, un splendide pavillon, élevé par les architectes Moojen et Zweedyk évoque les possessions néerlandaises : Sumatra, Bornéo, Java, Madura, Bali et les îles voisines. D'une superficie de plus de six mille mètres carrés, il présente une façade de cent dix mètres. Les toits sont de style sumatrien, surélevés de pagodes d'environ cinquante mètres de haut. Le centre de la façade prend la forme d'une porte de temple balinais entièrement sculptée, devenant l'été décor de théâtre pour des représentations de plein air. Pour la couverture des toits on a fait venir « trois quarts de million [1] » de *sirappen* de Bornéo à Paris. Les *sirappen* sont de petites planches en bois de fer utilisées comme tuiles à Bornéo.

Les pagodes, dont la taille va en décroissant, se superposent et le faîte de l'édifice est couronné par le mont symbolique du dieu Shiva. Ce décor somptueux sera malheureusement détruit en cours d'exposition par un incendie et remplacé en quarante jours par un nouveau pavillon officiel rudimentaire.

L'architecture des pays indépendants se fit aussi connaître au rythme des échanges commerciaux. A l'Exposition de 1867, une boutique réunit les produits les plus remarquables de l'empire du Taïcoun. Le Japon populaire, quant à lui, est représenté par une ferme au toit de paille redressé en pointe sur les bords et surmonté par des statues des divinités protectrices du foyer. A l'intérieur, le « café japonais » offre du thé, mais ce qui retient le plus l'attention des visiteurs, c'est l'aubergiste qui « peint » ses comptes « le pinceau à la main, traçant à l'encre de Chine les caractères de l'écriture japonaise sur ces feuilles de papier jaune légères comme nos feuilles à cigarettes [2] ». Dans le voisinage, un kios-

88

Marmuse, Paris

89

90

91

que précédé d'un portique pastiche les élégants pavillons de repos que les princes se font construire dans leurs immenses jardins des bords de l'Okara.

En 1889, l'architecte Gauthier choisit, pour illustrer la façade de la section japonaise, de reconstituer des rues de Yokohama et de Yedo. « Des toits saillants et relevés, des charpentes vermillonnées, des soubassements revêtus de faïences bleues, blanches et vertes, des portes massives de bambous, des fenêtres aux profils bizarres [1] » se succèdent. L'architecture japonaise est représentée en force à Paris en 1900. La maison de thé, le pavillon du saké, le bazar, la reproduction de la pagode de Hondo (VIe siècle) se dressent dans une partie du Trocadéro transformée en jardin japonais. Des allées sinueuses contournent des pelouses parsemées de lis, de laurier-camphre, de kadsis ; sur une petit pièce d'eau, s'étalent de larges fleurs de lotus. Pour le célèbre « *Panorama du tour du monde* », le peintre Dumoulin a réalisé la montagne sainte de Nikko couverte de temples et de jardins, et l'architecte Marcel a élevé une somptueuse tour japonaise.

A l'Exposition anglo-japonaise de Londres, en 1910, le public européen découvre des reproductions exactes de bâtiments japonais religieux et civils. Temple, rues, pagodes, maisons urbaines ou villageoises sont disséminés dans un jardin. En 1911, à Rome, le Japon participe avec un pavillon. A l'Exposition internationale des arts décoratifs de Paris, en 1925, un pavillon national est réalisé par les architectes japonais Yamada, Schichigoro, Miyamoto, Iwakichi, Schimada et Tokichi.

Éphémère architecture.

Les bâtiments exotiques des Expositions furent l'œuvre d'architectes européens. C'est seulement une fois le gros œuvre achevé que les artisans des pays d'outre-mer venaient exécuter les finitions : pose d'une mosaïque, décoration d'une porte, agencement spécifique d'un toit...

Pendant l'Exposition, ces mêmes artisans, sculpteurs sur bois, peintres, laqueurs, nattiers, fabricants de jouets, brodeurs, lanterniers, fondeurs, s'installaient dans les échoppes, exerçaient leurs métiers ou jouaient les figurants devant les caméras qui filmaient dans ces architectures d'immortels chefs-d'œuvre restés inconnus, comme *L'Œil de Bouddha* ou *Tao*. Ainsi, dans un univers complètement artificiel, les Européens étaient-ils confrontés à d'autres manières de vivre, d'autres valeurs humaines et esthétiques.

Mais l'idéologie de l'époque n'était guère encline à accepter la différence des expressions artistiques ou des modes de vie. « Je me suis mis à railler, avoue un journaliste, cette construction bizarre aux couleurs crues, d'une richesse de pacotille, gardée par huit statues de guerriers rébarbatifs et grimaçants, debout sur un pied, la tête et les mains rouges ouvertes. L'ensemble a quelque chose de creux, de croquant et de granuleux. Imaginez un pavillon en nougat doré... [2]. » « De l'ouverture à la fermeture des guichets, la sottise de la Ville Lumière, et la stupidité du peuple le plus spirituel de l'Europe s'épandront torrentiellement [3] », se plaint un amateur averti. C'est cependant par l'intermédiaire de cette architecture qu'une approche de l'Autre peut s'instaurer, se dégageant du mythe échafaudé sur des bribes de récit ou des images d'album de moelle de roseau.

A la fin de l'Exposition, les décors, construits avec des matériaux légers, sont détruits. Rares sont les bâtiments qui ont pu être sauvés. Un des kiosques chinois de l'Exposition de 1867 fut racheté par lord Hertford pour sa villa de Bagatelle, puis par lord Astor et transféré en 1890

à Cliveden où il domine aujourd'hui une petite île du Water Garden, entouré de magnolias et de bambous.

Un autre pavillon chinois de 1867 est racheté et installé à l'entrée de la jetée du lac d'Enghien où il est aménagé en café. Il sera malheureusement détruit en 1911. Une carte postale témoigne qu'aux environs de 1900, le bois de Boulogne abritait un restaurant nommé *Les Chinois*, composé d'un kiosque à double toit et d'un bâtiment à trois corps. Après étude des documents, il semble que cet édifice était le pavillon chinois de l'Exposition de 1878. Le pavillon des Missions catholiques de 1931 est aujourd'hui la paroisse Notre-Dame-des-Missions à Épinay-sur-Seine. La maison communale de Cochinchine, qui avait été réalisée dans ce pays avant d'être transportée et exposée à Marseille en 1906, fut achetée par le gouvernement français qui la fit installer dans le jardin colonial de Nogent, enclos dans le bois de Vincennes.

Mais celui qui fut le grand passionné des somptueux « sauvetages » des Expositions reste l'architecte A. Marcel. Amoureux du style asiatique, il restera surtout célèbre pour ses constructions du pavillon de Laeken et de ce qui allait devenir plus tard le fameux cinéma *La Pagode*, à Paris [1] ; mais ayant pris une part importante dans la construction des bâtiments d'Expositions, il ne pouvait accepter la destruction de chefs-d'œuvre. Après l'Exposition de 1900, une pétition d'artistes demande que la salle souterraine cambodgienne qu'il a réalisée sous la pagode du grand Phnom soit conservée ; n'obtenant pas satisfaction, A. Marcel, qui restaure un château familial à Maulévrier (Maine-et-Loire), transfère dans le parc des éléments de réalisation khmère et indienne. Aujourd'hui, le château est reconverti en restaurant ; et le parc, restauré, ouvert au public, devient un lieu de réunion pour les communautés asiatiques de la région, afin qu'elles puissent venir prier et célébrer leurs fêtes religieuses.

Le parc de Laeken abrite aujourd'hui la tour japonaise que Marcel avait élevée dans le cadre du « Panorama du tour du monde » de l'Exposition de 1900. L'architecte raconte que le roi Léopold II la visita à maintes reprises durant l'exposition. Il y avait eu dans le parc du château de Schonenberg une pagode inspirée de celle de Chambers à Kew. Est-ce en souvenir de cet édifice ? Léopold II acheta la tour japonaise et demanda à Marcel de surveiller les travaux de réédification. Commencés en août 1901, les travaux furent terminés en novembre 1904 et comportèrent l'adjonction à la tour d'une galerie d'accès et d'un pavillon d'entrée du même style. La tour, haute de quarante mètres, compte cinq étages au-dessus du rez-de-chaussée. Chacun d'eux est recouvert d'un large toit saillant de plus de trois mètres. La particularité de ce colossal édifice est d'être réalisé entièrement en bois, sans aucune adjonction de fer, suivant la technique japonaise. « Il en résulte, d'ailleurs, une parfaite élasticité de l'œuvre qui a victorieusement résisté aux vents du nord [2]. »

La décoration extérieure est somptueuse : de grands panneaux sculptés et recouverts de dorures sont ornés de fées marines, d'oiseaux, de dragons, d'animaux fantastiques, de volutes de fleurs. Chaque étage comporte un salon agrémenté de panneaux peints par des artistes japonais sur des thèmes légendaires. L'architecte Marcel a fait remplacer les clochettes traditionnelles par des lampes électriques à arc qui « allumées, transforment la tour en un phare gigantesque, faisant jaillir de l'ombre épaisse une formidable évocation de l'Extrême-Asie planant sur les terres plates du Brabant [3] ».

93

92. *La maison communale de Cochinchine, réalisée entièrement sur place par les artisans de Thudaumot, est exposée à Marseille en 1906 ; l'ensemble est entièrement en bois, les assemblages ne comportant aucune vis ni clou. Elle est ensuite définitivement transplantée au Jardin d'Essai Colonial du bois de Vincennes. Sur la proposition de l'association du Souvenir indochinois, le Gouverneur général de l'Indochine décide que la maison communale serait consacrée à la célébration des cultes funéraires rendus aux disparus indochinois morts au service de la France ; un envoyé de l'Empereur inaugure le Temple en 1920. Aujourd'hui, il est en cours de restauration.*

93. *Notre-Dame-des-Missions à Epinay-sur-Seine, provenant de l'Exposition Coloniale Internationale de Paris de 1931.*

94. *La tour japonaise sauvée du Panorama du Tour du Monde de A. Marcel, à Paris en 1900, et élevée par ses soins dans le parc de Laeken (état vers 1905) ; le roi fit simplement adjoindre à l'édifice primitif une galerie d'accès et un pavillon d'entrée de style analogue.*

L'imaginaire occidental s'empara alors de cette architecture de poésie et de méditation et l'utilisa pour son plaisir. De la sacralisation de l'espace architectural et de l'environnement, de l'ordre du cosmos et de ses rapports avec le foyer domestique ou la demeure royale, des grands mythes fondant les structures architectoniques tant religieuses que profanes, des rituels de la construction de la maison, l'Occident ne retint que les courbures « extravagantes » et les couleurs panachées. L'architecture du sacré devint, en Europe, celle de la fantaisie. La fête, jouant dans le rythme de la vie quotidienne le rôle que tient le décor

DE L'ARCHITECTURE DE FANTAISIE À CELLE DE LA QUÊTE SPIRITUELLE

95

au théâtre ou à l'opéra, privilégia l'exotisme pour ses lieux de divertissement ; la féerie franchit rapidement les grilles des demeures aristocratiques pour prendre possession des boulevards, et des jardins publics. De même, dans le rigorisme des sociétés qui travaillaient à l'édification laborieuse de la centralisation capitaliste, l'architecture exotique marqua de sa «licence» quelques bâtiments officiels marginaux dans l'ordonnance urbaine et une « catégorie secondaire de l'histoire de l'architecture du XIXe siècle [1] » : la villa, par laquelle le propriétaire peut, à haute et intelligible voix, marquer son espace de sa personnalité.

Architecture de l'éphémère.

Le plaisir de la mascarade à la chinoise apparaît en 1680. Le déguisement favori devient vite celui de « la pagode », caricature du Chinois cocasse et grimaçant. « A l'époque du carnaval, on ne faisait pas de difficulté à se déguiser d'habits asiatiques. [...] Mme de Mirepoix organisait un grand bal où la plupart des invités étaient vêtus à l'indienne, à la chinoise ou à la turque. [...] Quand les jeunes gens, peintres ou étudiants, s'en mêlaient, loin de tous soucis d'étiquette, ils traînaient dans les rues et sur les places les chars grotesquement remplis de magots, de turbans ou de clochettes qui, avec un tintamarre plus ou moins oriental, enfonçaient dans l'esprit des spectateurs cette persuasion que l'Asie était le pays par excellence de l'étrange et du cocasse. [...] Vers la fin du XVIIIe siècle, ces divertissements exotiques étaient assez passés dans les mœurs pour que le public y prît sa part ; ils parurent aux foires et sur les boulevards où l'on construisit des redoutes chinoises et où s'éleva bientôt le théâtre des Récréations de la Chine ; les ombres chinoises, d'abord enfermées dans quelques salons, devinrent, grâce à Ambroise et surtout à Séraphin, un spectacle des plus populaires... [2]. »

Les feux d'artifice chinois avaient fasciné les voyageurs : « Rien ne donne tant d'éclats à la fête que ces feux d'artifice qui s'exécutent dans tous les quartiers de la ville ; on prétend que les Chinois excellent dans cet art [3]. » Les Européens se passionnèrent pour ces instants sublimes où, dans l'abondance des lumières, la nuit est changée en un jour écla-

95. *Kiosques chinois élevés pour le feu d'artifice de la fête de la Sainte-Rosalie à Palerme, en 1855.*

96. *Théâtre de pantomime du parc de Tivoli (Copenhague).*

97. *La tour japonaise du parc de Laeken aujourd'hui (Bruxelles).*

96

9

98

tant. On construisit même de somptueux décors chinois qui donnaient
au feu d'artifice un cadre féerique et étrange avant de disparaître dans
la frénésie des lumières. En 1855, pour la fête de la Sainte-Rosalie à
Palerme, le décor est constitué de trois pavillons chinois. Les architectes Leguel et Galland élèvent un décor chinois pour les fêtes du 15 août
1858, place de la Concorde. En 1880, le célèbre Ruggieri monte un spectacle d'artifices sur le thème : « Le palais d'été de l'empereur de Chine ».

Les fêtes populaires empruntent aussi leur décor à l'Extrême-Orient.
En juin 1843, huit mille personnes assistent à une somptueuse fête donnée aux Jardins zoologiques du Surrey. L'organisateur, M. Danson, a
choisi comme thème l'un des plus fameux sites de l'Inde védique, « les
merveilles d'Ellora », élevées au centre de la péninsule au VIIe siècle.
Autour d'un vaste bassin se dressent le temple de Keylas le Magnifique,
abondamment orné d'animaux et de chimères, la pagode de Nandi (l'ani-
mal sacré de Shiva) et le temple des diverses incarnations de Vichnou.
Deux éléphants surmontés de divinités ponctuent l'entrée. Le soir, un
splendide feu d'artifice fut tiré : les gerbes de lumière jaillirent de la surface de l'eau, les colonnades des temples s'embrasèrent de lumière
bleue et le bouquet final reconstitua au-dessus du lac le temple de Keylas illuminé.

En France, les vieux soldats de la région d'Auxerre, éprouvant la
nostalgie des tambours qui battaient la charge vers la victoire organisè-
rent dans la ville des retraites « sonnantes » qui eurent beaucoup de succès. En 1841, une reconstitution du char funèbre de Napoléon circula
dans les rue illuminées. Alexandre Dumas père assista à la retraite
de 1857, dont il rendit compte dans un article enthousiaste paru dans
L'Yonne, puis édité à soixante-quinze exemplaires : les tambours chinois
précèdent le cortège qui comprend, outre le char du roi d'Yvetot et celui
de l'astronome Le Verrier, le char de l'empereur de Chine, de quinze
mètres de haut et de sept de long. « Figurez-vous une véritable pagode
roulante — au plafond illuminé, aux colonnes illuminées, aux roues illuminées. Ortes, le grand Tao-Twan, le fils du Ciel, le père du Soleil, le
cousin de la Lune, a fait faire ce char impérial par d'autres mains que
par des mains humaines. J'ai toujours eu l'idée — et j'ai soutenu une opi-
nion contre tous les géographes, Malte-Brun en tête — que la Chine était

99

98. *Décor chinois pour le feu d'artifice de
la place de la Concorde, Paris, 1858.*

99. *Rue chinoise en trompe-l'œil élevée au
Musée Colonial de Berlin ; vers 1900.*

100. *Char de l'Empereur de Chine, Retraite
illuminée d'Auxerre, 1882.*

100

une planète, et les Chinois des hommes d'un autre monde envoyés comme échantillon sur celui-ci [1]. » On retrouva le char de l'empereur de Chine lors des retraites de 1882 et 1889 notamment, ainsi qu'un pavillon de Radjah indien, un palanquin mauresque, un corps de cavalerie japonaise et un char de style « retour d'Égypte ».

Aux fêtes d'Amiens de 1873, défilent dans deux prairies inondées des bateaux surmontés des créations les plus fantastiques « illuminées, brillantes de lumière qui se reflétaient dans l'eau qu'elles sillonnaient de longues traînées de feu... C'est un singulier spectacle de voir ces temples, ces moulins, ces pavillons, éblouissants de lumières, glissant majestueusement sur l'eau qui les reflète... [2]. » On retrouve jusqu'en Espagne, où la mode extrême-orientale eut peu de succès, ces architectures chinoises éphémères de la fête. Le carnaval de 1910 à Cadix reprend ce thème que certaines fêtes royales de Madrid avaient utilisé avant lui.

101. *Décor de l'Inde védique pour les fêtes de Surrey Gardens, Londres, 1843.*

102. *L'entrée exotique du jardin zoologique de Berlin.*

103. *Pavillon chinois de Victoria Park (Londres) aujourd'hui disparu.*

104. *Le kiosque chinois de Cremorne Gardens, Londres, 1857.*

Les espaces du divertissement.

Les espaces du divertissement privilégièrent l'architecture chinoise ; ce qui apparaissait comme une extravagance formelle fut associé à la séduction du moment, du plaisir et de la frivolité. L'héritage se noua peut-être dans la tradition des « Jardins de Plaisir » de Londres : on n'en comptait pas moins de soixante-quatre au XVIIe siècle. Les Londoniens y venaient voir la pantomime ou écouter de la musique et parler de politique ou de choix esthétiques. Les jardins de Vauxhall comportaient des pavillons gothico-chinois construits en 1751 ; ceux du Ranelagh, où Walpole venait chaque soir en 1744, un pavillon chinois élevé au milieu du canal en 1750. Dans les Cremorne Gardens, qui deviennent le nouveau lieu de plaisir à la mode en 1846, un kiosque de danse de style chinois se dressait dans la partie sud-est du parc. En 1847, James Pennethorne organise un lieu de récréation dans l'est de Londres, Victoria Park, où il fait élever une maison chinoise d'été sur l'île du lac de canotage.

En 1934, après un séjour à Bad Hombourg (R.F.A.), le roi Prajadhipot offre aux habitants de la ville un pavillon siamois qui sera placé dans le parc. Dans le parc d'attractions de Tivoli (Copenhague), fondé en 1843 par Georg Carstensen, le restaurant est une pagode à quatre toits illuminés le soir, et le théâtre de pantomime une maison chinoise à deux tourelles, réalisée par V. Dalherup en 1874. En Belgique, le roi Léopold II

105

106

105-106-107-108-109. *Le restaurant chinois, demandé à l'architecte A. Marcel par le roi Léopold II de Belgique, est aujourd'hui un musée. Le Consul de Belgique à Shanghaï, D. Siffert, surveilla sur place la réalisation des éléments de décoration.*

109

107

108

fit construire par l'architecte Marcel, dans le parc de Laeken un pavillon chinois qui devait devenir plus tard un restaurant de luxe. Le projet d'origine était d'édifier le long de l'avenue de Meysse une série de constructions permettant de faire en une seule promenade un inventaire de tous les styles exotiques. Seuls la tour japonaise, rachetée de l'Exposition de 1900, et le pavillon chinois furent bâtis. Tous les éléments de décoration du pavillon furent réalisés à Shanghai, sous la surveillance du consul de Belgique. Cet édifice, qui n'était pas terminé à la mort du roi, abrite aujourd'hui des collections de porcelaines, de meubles et de tapisseries chinois (collections Verhaeghe de Naeyer et Plasky). Une récente restauration extérieure en fait l'un des témoignages les plus authentiques de l'architecture chinoise en Europe.

Dans ces espaces de loisirs que sont les parcs à partir du Second Empire, un autre type de bâtiment utilisa de manière étonnante l'architecture exotique : les jardins zoologiques. L'idée de loger les animaux venus des terres lointaines dans des demeures originales est ancienne. Les ménageries étaient à la mode depuis plusieurs siècles : Louis XIII possédait des animaux « étranges », l'impératrice Marie-Thérèse d'Autriche et Napoléon collectionnaient les animaux exotiques. Certaines ménageries de villes lointaines comportaient des bâtiments d'architecture vernaculaire à côté de pavillons en majorité fonctionnels. Une peinture de 1848 montre des pavillons moghols dans la ménagerie que la Compagnie des Indes orientales a fondée en 1804 à Barackpore près de Calcutta [1]. Le jardin zoologique d'inspiration exotique le plus somptueux fut celui de Berlin. Créé en 1844, étendu en 1869 sous la responsabilité de Ludwig Heck par les architectes Ende et Bockmann, il sera détruit par un bombardement en 1941. Les architectes multiplièrent les pavillons japonais, les pagodes chinoises et les temples hindous. Les éléphants étaient logés dans un temple hindou à dômes de couleurs vives ; les chapiteaux des colonnes qui supportaient le toit de la salle intérieure étaient sculptés d'éléphants.

110

110-111. *Le palais chinois de Ba-ta-Clan : intérieur du café-concert, vers 1865, et vue extérieure de l'édifice en 1900. Pendant les deux sièges de Paris (octobre 1870 — janvier 1871 et mars à mai 1871), les salles de billard sont transformées en hôpital, tandis que dans la grande salle étaient donnés des galas de charité au profit des malheureux de la ville, des blessés des combats et des bombardements.*

111

Mais le divertissement recherche aussi des espaces plus intimes ou des lieux clos. Les récits des voyageurs parlaient de ces bains asiatiques à usage collectif où le corps trouvait autant de plaisir que d'hygiène. En 1792, Lenoir construit des bains chinois à l'angle du boulevard des Italiens et de la rue de la Michodière. La façade était ornée de magots, de parasols, de clochetons et de treillages. Les « élégants et élégantes » y goûtaient les bains et les cosmétiques de l'Orient tels que l'eau persane des Bayadères appelée « l'ennemie du temps » ou le « bain de la Bayadère » qui coûtait trente francs. En 1835, lorsque lord Richard Seymour Conway achète le jardin de Bagatelle, marqué du goût chinois par Marie-Antoinette, il y installe une partie de ces bains dont rien ne subsiste aujourd'hui. En 1924-1925, le thème des bains chinois est repris par un élève de l'École des beaux-arts lors du concours d'émulation de la seconde classe. Le projet comprenant trois pavillons reliés par une galerie à treillage et toits relevés obtient une première mention.

112. *La pagode de Tivoli utilisée dès l'ouverture du parc d'attraction comme restaurant.*

113. *Les bains chinois construits en 1792, boulevard des Italiens à Paris.*

L'illusion asiatique s'empare aussi du théâtre. Le numéro de *L'Illustration* d'octobre 1849 évoque, par exemple, le succès remporté par le décor de la place publique de Delhi avec ses temples et ses pagodes réalisé par Cambon et Thierry pour *La Fée aux roses*, pièce d'Halévy, Scribe et Saint-Georges donnée à l'Opéra-Comique.

En 1864-1865, l'architecte Charles Duval construit en un peu plus de dix-huit mois le palais chinois du Ba-ta-Clan, au carrefour du boulevard du Prince-Eugène (boulevard Voltaire depuis 1871) et du canal Saint-Martin, recouvert au début du siècle par les terre-pleins du boulevard Richard-Lenoir.

Le Ba-ta-Clan devient rapidement le café-concert le plus renommé de Paris. « Bataclan est un véritable monument, c'est un embellissement de plus à la grande cité, une curiosité de la capitale, que tous nos compatriotes de la province et les étrangers voudront visiter à leur premier voyage à Paris [1] », s'écrient les journaux. « Le curieux échantillon de l'architecture fabuleuse du Céleste Empire » accumule à l'extérieur « terrasses, belvédères, balcons, vérandas, toitures retroussées en sabot, dragons ailés, magots accroupis, mâts, lanternes et fantastiques étendards ». Les cariatides de la salle intérieure sont des dragons et des chimères dans le goût chinois. Au rez-de-chaussée, une galerie est ornée d'une frise de toile représentant la vie et les mœurs des Chinois. Le décor de la scène est fait de temples et de pagodes. Deux cascades, l'une jaune et l'autre bleue, représentent les deux grands fleuves de la Chine. Le rideau est un immense éventail peint par Carpezat qui devait plus tard réaliser celui de l'Opéra. L'éclairage est « féerique [...] le gaz surgit avec abondance partout [...] c'est un palais des mille et une nuits... [2] ». « Alors que dans les salles situées à la place du café actuel et au premier étage se déroulaient des matches de billard, sport très à la mode sous le Second Empire, le Grand Café-Théâtre chinois de Ba-ta-Clan donnait des spectacles de variétés de huit heures du soir à minuit. [...] Jusqu'en 1880, sous la direction de M. Paris, qui avait auparavant dirigé le Concert des Arts au café du Géant, Ba-ta-Clan fut le premier et le plus important café-concert de la capitale avec deux mille places assises au milieu desquelles circulaient les garçons en grand tablier blanc qui portaient les consommations aux spectateurs. [...] En 1905, Ba-ta-Clan est repris par le poète chansonnier Gaston Habrekorn qui avait dirigé de 1895 à 1900 à Montmartre le Cabaret du Divan Japonais [1]. » En 1932, le café-concert devient un cinéma. Il perdra peu à peu son décor extérieur chinois ; quant au décor intérieur, il fut transformé en 1952 en raison des nouveaux règlements de sécurité.

A Southall (Londres), fut construite par George Coles, en 1929, une des rares salles de cinéma exotique : *le Palace*, devenu le *Liberty*, puis l'*Odeon*. Avec son éclatante toiture à la chinoise et ses affiches proposant des films asiatiques, l'*Odeon* illustre aujourd'hui encore l'invitation au voyage des sunlights...

Choix personnels, rêves privés.

Hormis ces espaces du divertissement, l'architecture extrême-orientale marque peu la vie civile. Le buffet de la gare d'Arcachon, construit en 1863-1864 par les ingénieurs Régnauld et Rocques, fait figure d'exception. Le décor intérieur était mauresque, dans le style du casino, et l'architecture extérieure celle d'une pagode chinoise à trois toits décroissants. Il était « haut comme un temple et aménagé comme un palais [...] rêvant sous son toit cornu, superbe et tapageur comme un mandarin après boire [2] ». Fermé en 1868, le buffet sera détruit en 1881, malgré l'intervention de la Société immobilière d'Hendaye-Plage qui se proposait de le reconvertir en casino.

La compagnie Koppe fait construire en 1919 un bureau d'affrètement maritime de type indonésien à Amsterdam.

Les maisons du Japon, de l'Asie du Sud-Est et du Cambodge de la cité universitaire internationale de Paris, construites dans les années 1930, intègrent quelques lignes architecturales extrême-orientales. Il en va de même pour la nouvelle ambassade du Viêt-nam, plus contemporaine (années 1970).

« Aux monuments, le devoir de plaire à tous, aux habitations celui de plaire à quelques-uns [3] ! » Les mutations urbaines évincent des équipements collectifs l'architecture de l'originalité. En revanche, l'exotisme s'imposera comme la marque de la fantaisie, de la personnalité, des rêves d'un propriétaire sur l'environnement et la demeure qui lui sont propres. Maisons hollandaises, chalets suisses, cottages anglais... se multiplient à partir du Second Empire, suscitant l'indignation des puristes.

114-115. *Le cinéma chinois de Southall, Londres.*

116-117. *La maison C.-T. Loo, rue de Courcelles à Paris. « A la tombée de la nuit, j'ai ouvert les portes-fenêtres et les volets du grand bureau en rotonde. La pagode, en face, brillait d'un éclat phosphorescent. Une averse est tombée, qui a rafraîchi l'air. » (Patrick Modiano, Quartier Perdu, Gallimard, 1984).*

118.

118. *L'enseigne de la boutique « The Tea Daler » à Newcastle, vers 1900.*

119. *Le buffet chinois de la gare d'Arcachon.*

120. *Villa à Arcachon.*

121. *Villa de M. Bauwens, dans les environs de Bruxelles.*

C'est sur les frontons des boutiques de denrées exotiques qu'apparurent les premières marques de l'architecture exotique urbaine. A Newcastle (Northumberland), Stewart, le célèbre patron de *The Tea Dealer* avait placé au-dessus des enseignes « China celestial tea » et « Indies colonial produce » une scène de boutique chinoise avec une maison et deux petits kiosques [1]. En 1822 à Londres, F. et R. Sparrow font dessiner par J. B. Papworth un fronton simulant la façade d'une pagode à trois étages pour leur boutique de thé du 8 Ludgate Hill. Des panneaux peints de caractères chinois sont placés entre les fenêtres de style georgien [2]. A Barcelone, l'architecte Joseph Vilaseca y Casanovas aménage, en 1891, un rez-de-chaussée japonais pour la boutique de parapluies et éventails Bruno Cuadros et, en 1896, le décor de la confiserie *Au Japon*.

C.-T. Loo, né dans le Che-Kiang en 1880, fut envoyé à Paris par sa famille pour étudier le commerce international ; il se fixa en France et ouvrit en 1902, place de la Madeleine, un magasin d'importation portant le nom de *Ton Ying*. En 1908, il fonda une autre compagnie : Lai Yuan. Durant des années, Loo « joua un rôle important dans la transformation du goût chez les collectionneurs occidentaux, en leur faisant connaître et apprécier des œuvres dont ils n'avaient eu, jusque-là, aucune idée [3] ». Au-delà des « chinoiseries », il leur révéla les objets de la Chine ancienne. Les dons que fit C.-T. Loo à divers musées permirent d'élargir des collections importantes, notamment dans le domaine des jades. En 1926, il décida d'installer sa maison au 48, rue de Courcelles et de lui donner un cadre à sa mesure. Loo conçut lui-même les plans destinés à transformer en magasin de style chinois l'hôtel particulier de deux étages qu'il venait de racheter. La construction, assurée sous la surveillance de l'architecte Bloch, fut terminée en 1928. La façade juxtapose des éléments décoratifs réalisés à Paris, mis à part les tuiles faîtières qui proviennent de Chine. Au premier étage, Loo aménage un salon orné de laques chinoises du XVIIIe siècle ; au quatrième, un salon indien avec des panneaux de bois sculpté provenant d'un char religieux du XVIIIe siècle et un plafond en dalles de verre représentant des idéogrammes. L'ensemble de l'édifice est desservi par un ascenseur de style chinois... La maison C.-T. Loo est aujourd'hui encore un magasin d'antiquités chinoises géré par la famille de son fondateur.

Dans les années 1950, M. Bauwens, aidé par le sculpteur J. Moeschal, se construit une maison extrême-orientale dans les environs de Bruxelles. « Dès ma jeunesse, je me suis intéressé à l'art d'Extrême-Orient, notamment à celui de la Chine et du Thibet, explique M. Bauwens. Quand j'ai entrepris, début 1948, la construction d'une villa à Lasne, j'ai voulu donner aux quelques objets d'art que j'affectionnais l'environnement qui leur convenait tout en les intégrant à la vie familiale. La pièce centrale de la maison, par exemple, a été conçue pour abriter un grand Bouddha. L'intérieur et l'extérieur du bâtiment sont indissolubles l'un et l'autre. J'aime l'architecture du Thibet pour ses lignes à la fois simples et gracieuses — je m'en suis inspiré pour l'architecture extérieure. Il ne restait plus qu'à intégrer le bâtiment dans l'environnement du Brabant wallon. Jacques Moeschal a su résoudre ce problème en utilisant les matières de la région : la pierre de sable, clivée par les derniers épinceurs du pays, et la pierre bleue. La maison fut terminée en 1952 — depuis elle est habitée par ma famille, mes animaux, mes objets et moi-même [1]. »

L'apparition des villas balnéaires, privilégiant les loisirs et la fantaisie, va accentuer ce recours à l'exotisme dans l'architecture privée. Parfois, comme sur la façade victorienne de Russel Square à Brighton, on a simplement souligné quelques détails. Pour la villa chinoise d'Arcachon, on a joué sur la courbure du toit et le trompe-l'œil au-dessus des fenêtres. La villa de Sainte-Adresse au Havre, construite par l'architecte Poupel pour un ancien négociant de denrées exotiques et détruite lors de la dernière guerre, répondait aux mêmes principes. Une villa du quartier Chantenay à Nantes présente un kiosque néo-chinois sur une tourelle classique. La villa chinoise de Nice, elle, juxtapose des frises vernissées de couleur turquoise situées à la naissance des charpentes, des balustrades de faïence et des gouttières en « bambou de zinc » (élément qui n'existe pas dans l'architecture chinoise). Un pavillon de bois des années 1930, élevé dans un jardin de l'île de Beauté, à Nogent, témoigne d'un souci de reconstitution assez authentique. Mais seule la pagode chinoise de M. Honoré à Trouville, avec sa tour pourvue de quatre toits, et ses deux corps de bâtiments orientalisants, avait les dimensions d'une

122. *Bureau de style indonésien d'une compagnie maritime, Amsterdam, 1919.*

123. *Décoration exotique pour la porte latérale d'une banque, à Amsterdam.*

124. *Villa à Bijou-sur-Mer, vers 1890.*

124

125. *Temple japonais à Tatton Park.*

126. *Le pavillon thaïlandais dans le parc de la ville de Bad-Hombourg.*

127. *Le cinéma La Pagode et son jardin japonais, à Paris.*

128. *La villa Kosiki, à Royan.*

véritable villa chinoise. Elle fut transplantée à Asnières, en 1857, ensuite on en perd la trace...

Le Japon eut une influence architecturale plus tardive et plus restreinte en Europe. Le goût des jardins japonais développe, à partir du début du XXe siècle, des atmosphères orientales intégrant l'eau, les plantes, les rochers, de petits temples et des maisons de thé dans un « univers en miniature ». Une petite maison de thé s'élève dans les jardins de lord Redeslale, à Batsford. A Scarborough, George Alderson dessine en 1929 la pagode japonaise de Peasholme Park. A Tatton Park (Knutsford), un ancien ambassadeur au Japon élève, au centre d'une île artificielle, un temple Shinto qui fait face à un jardin japonais miniature. Dans le parc de Clingendael, à La Haye, on construit une maison de thé. De même, le jardin botanique de Berlin en inclut une dans ses divers édifices ludiques.

L'architecture japonaise influença peu l'habitat privé. A Royan, cependant, la très belle villa Kosiki, construite au début du siècle, a été conçue par son propriétaire après qu'il eut admiré une maquette présentée à l'Exposition de 1900. Elle a perdu ses couleurs brun et ocre, mais, intacte, tourne toujours vers la mer ses grands balcons de bois peints en blanc. La création architecturale la plus complète inspirée par le Japon reste certainement celle d'Albert Kahn à Boulogne. Il aménage un jardin d'agrément de cinq hectares autour de sa demeure et y promène ses invités successivement dans un jardin japonais, un jardin anglais, un jardin français, une forêt vosgienne... Les deux maisons japonaises et le temple, bâti en trompe-l'œil sur une levée de terre, qui s'inséraient dans cet ensemble auraient été élevés par des jardiniers de l'empereur du Japon, ainsi que la petite pagode qui fut détruite par un incendie en 1952. Le département de la Seine racheta l'ensemble des bâtiments et des jardins après la ruine d'Albert Kahn en 1929. En 1966, le maître Sen Soshitsu, de l'école Vrasenke de la Cérémonie du thé, offrit aux jardins Kahn une nouvelle maison de thé, dite des Érables verts.

Ce qui est aujourd'hui le cinéma *La Pagode,* fut élevé par l'architecte Alexandre Marcel dans les jardins de l'hôtel particulier du 57, rue de Babylone. « Il est allé l'acheter au Japon, la fit démonter et transporter en France pierre par pierre, avec ses tentures, ses sculptures et ses fresques qui seront reconstituées par le peintre Benet. Pour tout Paris, c'est la Pagode ! L'extravagant cadeau de M. Morin, un des directeurs du Bon Marché, à Madame pour y recevoir. L'inauguration en octobre 1896 défraie la chronique parisienne : dîner de cent couverts, suivi d'un concert avec les artistes de l'Opéra de Paris, puis d'une aubade de la clique des Invalides. Six mois plus tard, le 27 mars 1897, M. et Mme Morin donnent le traditionnel bal travesti de la mi-carême costumés en empereur et impératrice de Chine [1]. » En 1920, la Pagode devient un salon de réception privé où l'on donne concerts, bals et représentations théâtrales. Elle sera fermée en 1927 pour raisons financières. « C'est à cette époque que se situe la légende chinoise de la Pagode. L'hôtel du 57, rue de Babylone avait été loué par l'ambassade de Chine, et les membres du corps diplomatique étaient intéressés par la Pagode, mais [...] l'affaire fut rompue dès la première visite du lieu : les peintures murales représentaient des scènes guerrières entre Chinois et Japonais, et ces derniers avaient nettement le dessus [2]. » En janvier 1931, la Pagode est louée à un directeur de cinéma et *Le Figaro* de s'écrier : « Sous les lambris pourpres où s'accrochent et grimacent des dragons d'or, dans l'atmosphère la plus asiatique, la moins moderne qu'on puisse rêver, il y a maintenant, ô Confucius, un écran sonore. Fils du Ciel, voilez-vous la face [3] ! »

Symbolique sacrée...

A partir des années 1915, quelques intellectuels européens, dont Romain Rolland, Mircea Eliade, découvrent les textes traditionnels de l'Inde et contribuent à la naissance de tout un mouvement de recherche philosophique portant son regard sur l'Asie. La civilisation de l'industrie est confrontée à la « civilisation de la lumière », et le discours de Rabindranâth Tagore sur ce thème provoque l'Europe. Dans cette découverte du sens du sacré, l'émergence des fondements symboliques de l'architecture de l'Extrême-Orient retient alors l'attention des chercheurs : Ananda K. Coomaraswamy publie en 1938 des études sur le

129. *Le pavillon de thé japonais du jardin anglais de Munich, construit en 1972.*

130-131-132. *Dans les jardins Albert Khan, à Boulogne-sur-Seine : le temple japonais en trompe-l'œil, la maison japonaise certainement élevée par des jardiniers de l'empereur du Japon, la maison de thé offerte en 1966 par le maître japonais Sen Soshitsu.*

129

130

131

132

133

134

symbolisme de l'architecture bouddhique et notamment de la forme du dôme ; Paul Mus, en 1935, étudie le sacré à Borobudur ; en Italie, G. Tucci aura une importance considérable par l'ampleur de sa documentation sur le monde tibétain ; Stella Kramrisch publie en 1946 deux volumes sur la symbolique des temples hindous. La délimitation de l'espace sacré en Asie, la relation de l'architecture au Cosmos, l'Axe du Monde, le Pilier Cosmique, la correspondance Cosmos-Maison-Corps humain sont des concepts nouvellement perçus et acceptés par l'Europe qui découvre que chaque témoignage d'architecture en Asie représente une somme de connaissances théoriques et ésotériques [1]. Les architectes expressionnistes allemands, notamment, s'inspirent de cette conception de l'espace. Adolf Behne (1885-1948) considère les temples indiens comme un sommet architectural. Il en apprécie l'harmonie des formes qui introduit à la méditation, à une relation avec le cosmos, voire à l'extase. Otto Bartning (1883-1959) rentre d'un voyage en Asie bouleversé par les émotions qu'il avait ressenties dans les temples d'Indonésie [2]. De nombreux projets du Cercle de Bruno Taut adapteront, d'une manière très libre, les formes architecturales et l'esprit venus de « la lumière d'Orient ». Le projet du palais de la Paix ou Panthéon du genre humain, présenté par Hendrik Petrus Berlage reprenait la ligne des dômes du Wat Arun de Bangkok.

L'impact religieux de l'Asie fut tel que non seulement les communautés étrangères soucieuses de pratiquer leur culte, mais aussi des Européens à la recherche d'un lieu de méditation, suscitèrent la construction de bâtiments de style extrême-oriental. La pagode de culte bouddhique, élevée à Fréjus entre 1917 et 1922 (et restaurée en 1972) était destinée aux tirailleurs annamites de l'armée française en garnison. Dans l'Allier, en 1954, une communauté de rapatriés français d'Indochine s'insère dans le bourg minier de Noyant ; aujourd'hui 10 % d'entre eux sont restés fidèles à la tradition bouddhique ; soutenus par les instances locales, ils ont formé une association qui a pu obtenir les dons nécessaires à l'édification d'une pagode ; bien que celle-ci s'insère dans la modernité du village, le toit légèrement incurvé, les sculptures des murs extérieurs, le grand Bouddha assis devant l'entrée et le projet de bassin pour des fleurs de lotus témoignent du besoin de marquer l'environ-

133. *Le monastère tibétain élevé au bois de Vincennes par l'architecte J.- L. Massot.*

134. *La pagode de Fréjus, restaurée en 1972.*

135-136. *La pagode de Noyant-d'Allier : le Bouddha devant l'édifice et vue intérieure. Le bonze qui éleva le bestiaire symbolique du jardin de la pagode de Fréjus, s'est retiré maintenant à Noyant et entreprend un travail similaire ; outre le Bouddha de sept mètres de haut, une autre statue est en chantier, puis viendront les animaux symboliques et peut-être un Bouddha couché.*

135

136

137. *Le* chorten *tibétain de Plaige a été réalisé en respectant les canons précis de la symbolique sacrée bouddhiste. Par sa forme et sa polychromie, il matérialise les grandes lignes de la voie de la réalisation spirituelle.*

137

nement religieux des caractéristiques principales qui lui sont propres.

Mais d'autres constructions contemporaines vont vers une vocation plus internationale.

Le premier lieu de culte bouddhique dans cet esprit est certainement celui élevé à Berlin par Paul Dahlke (1865-1928). La construction, faite selon un modèle en terre glaise mis au point par P. Dahlke et quelques disciples, est terminée en 1924. Le portail d'entrée est inspiré par les accès des *stupa* de Sanchi, en Inde. Des marches irrégulières conduisent à la maison dont le centre est constitué d'une tour octogonale joignant deux corps de bâtiments. Un temple au double toit en pagode au-dessus d'un vallon de méditation est aménagé dans le voisinage. En 1967 seront construites une bibliothèque et la maison de Ceylan, abritant des moines installés à demeure, venus à la demande de Dahlke lui-même. Ce médecin, passionné par les philosophies de l'Asie qu'il avait eu le temps de découvrir lors de ses voyages, acquit de son vivant une large réputation par ses écrits et ses traductions de textes sacrés bouddhiques ; en 1957, la German Dharmaduta Society rachète l'ermitage spirituel de Paul Dahlke afin d'en prolonger l'œuvre [1].

L'esprit bouddhiste, marqué par la non-violence et la sérénité, correspond à une aspiration de notre époque. Aussi les diverses écoles que l'on peut rencontrer en Asie attirent aujourd'hui des conversions d'Européens, et se concrétisent dans des lieux de méditation allant du syncrétisme le plus large à une filiation au contraire très rigoureuse d'une tradition.

En France, c'est en haute Provence, à Castellane que le Mandarom Ashram accueille les fidèles de toutes religions et de toutes nationalités ; si les symboles hindouistes se mélangent aux symboles bouddhistes, plusieurs auvents aux toits incurvés entourent la plus haute statue de Bouddha en Europe : vingt et un mètres de haut. Mais, au-delà de cet esprit syncrétiste, c'est principalement la tradition tibétaine qui tient une place importante en France. Déjà la célèbre voyageuse Alexandra David Neel avait aménagé intérieurement sa demeure de Digne (où elle vécut jusqu'à sa mort en 1969) dans l'esprit tibétain ; mais ce sont de véritables centres ouverts au public qui se sont créés ces dernières années. Cependant, l'école tibétaine du Vénérable Kalou Rimpotché donne naissance en France à l'heure actuelle à la seule architecture authentique et exceptionnelle en Europe.

Pour les fêtes de l'Ascension en 1980, un *chorten* tibétain est inauguré à Plaige (Bourgogne), dans la région d'Autun. « Ce monument a été réalisé en respectant les canons précis de la Symbolique Sacrée. Par sa forme et sa polychromie, il matérialise les grandes lignes de la voie de la réalisation spirituelle. Ainsi, il représente les cinq éléments, les trois corps des Bouddhas, l'ascension du méditant jusqu'à l'humiliation. » « C'est la première fois, en Europe, qu'un édifice de cette ampleur (il a une hauteur de treize mètres) a été construit [2]. »

Un château du XIXe siècle a été aménagé en temple, réfectoire, chambres, pour abriter des sessions de méditation et d'enseignement. Mais un temple pouvant contenir mille fidèles est en cours de construction.

Le même architecte, Jean-Luc Massot, a dirigé les travaux de construction d'un temple tibétain à Paris, toujours en collaboration avec le Vénérable Kalou Rimpotché ; inauguré le 27 janvier 1985, dans le bois de Vincennes, le temple accueille deux lamas venus du Bouthan qui se consacrent à des cours de langue tibétaine, à l'enseignement de la spiritualité bouddhique et à des sessions de développement spirituel. Un projet identique est en cours en Dordogne. Autorisé par le Dalaï Lama,

138. *Pagode vietnamienne de Sèvres, en construction dans un jardin privé.*

139

139. *Temple de Paul Dahlke, à Berlin (R.F.A.).*

140. *Maquette du monastère tibétain de Plaige actuellement en chantier, J.-L. Massot architecte. La fidélité à l'authenticité d'origine est la caractéristique primordiale de ces projets et réalisations.*

le Vénérable Kalou Rimpotché « après une vie d'ermite est aujourd'hui un des principaux artisans du mouvement œcuménique qui souligne l'unité fondamentale des différentes traditions tout en mettant en avant l'importance d'un rattachement à un enseignement spécifique [1] ».

Mentionnons qu'autrefois un projet de panthéon pour M. Jacinto Anglada fut dessiné par l'architecte Emilio Rodriguez Ayuso (Madrid), vers 1890, inspiré par un *stupa* bouddhique, mais de style thaïlandais.

Enfin, en Angleterre, en souvenir du bombardement d'Hiroshima de 1945, les moines japonais du mouvement Buddha Sangha élevèrent la première « pagode de la paix » à Milton Keynes en 1980 ; les travaux durèrent deux ans et un toit octogonal reproduit celui du temple Daian-ji de Nara.

140

L'ORIENT RÊVE

Le goût des Mille et Une Nuits...

Dès la fin du XVIe siècle, les souverains ottomans envoient à la cour de France des ambassadeurs extraordinaires qui suscitent une grande curiosité tout au long de leur itinéraire à travers le pays. A l'occasion de la visite d'Ali Effendi en 1797, « Paris devint un des quartiers de Constantinople : les marchands de mode furent sur les dents pour exécuter les commandes de chapeaux-turbans, de bonnets turcs, de robes à la turque et à l'odalisque que leur firent avec une sorte de furie leurs clients affolés par le désir de séduire l'envoyé du Sultan ¹ ». A partir du XVIIe siècle, on consomme régulièrement en Europe des épices venant de Cons-

141. *Le pavillon mauresque de Louis II de Bavière à Linderhof.*

142. *Modèles de mosquées turques à l'usage des parcs et jardins, gravure de Le Rouge.*

143. *La mosquée du parc de Kew, construite par William Chambers en 1758, gravure de Le Rouge.*

144. *Tente turque pour le roi Gustave III à Haga.*

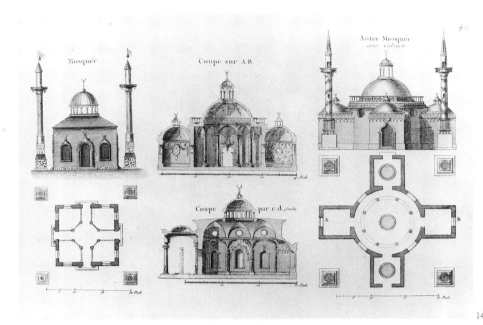

142

143

tantinople, des drogues médicinales, du maroquin pour l'ameublement et du café dont l'une des premières fèves aurait été apportée à Marseille en 1644 par un certain La Roque. Après la visite d'Aga Mustapha Roca, en 1669, « l'homme de qualité », ainsi que les « dames » se mettent à prendre du café. L'Arménien Pascal ouvre un premier établissement à Marseille puis un second à Paris en 1673. A la fin du XVIIIe siècle, toutes les couches sociales ont adopté l'usage de cette boisson exotique.

Malgré la connaissance européenne acquise surtout à travers les nombreux récits de voyage, le monde de l'Islam reste distant par sa religion, ses institutions, ses mœurs, il apparaît toujours pour les Occidentaux comme un lieu mirifique où abondent pierres précieuses et produits de luxe. La passion des turqueries avec quadrilles royaux et fêtes, place du Carrousel, l'intérêt pour les contes orientaux adaptés en contes philosophiques, ne dépassèrent pas les classes sociales proches de la cour. Fêtes, costumes. mascarades, pièces de théâtre, deviennent souvent une caricature associant le monde turc au Mammamouchi. « J'ai fait ce que j'ai pu pour mettre *Mahomet* dans son cadre », écrit Voltaire le 26 janvier 1740 ; la pièce sera suspendue dès sa troisième représentation.

Les jardins du XVIIIe siècle se pareront néanmoins d'édifices de style ottoman. On retrouve à Chantilly, à Chaillot pour le comte d'Harcourt, à Monceau, dans le projet du parc de Ménars, à Vauxhall, à Stourhead, à Painshill, à Belœil, des tentes reprenant le modèle de celles que le Sultan avait offertes à Louis XV. Ainsi, « rien ne nous empêche dans une

Pour Sainte-Sophie de Constantinople les travaux durèrent cinq ans, dix mois et dix jours ; lors de l'inauguration solennelle (537), Justinien s'écrie : « Gloire à Dieu qui m'a jugé digne d'accomplir une telle œuvre. Ô Salomon, je t'ai vaincu ! » La prodigieuse coupole des architectes anatoliens Anthémios de Tralles et Isidore de Milet, suspendue à cinquante mètres au-dessus du sol, s'écroule cependant au premier tremblement de terre. En 1453, la ville est conquise et le sultan Mehmet II transforme la basilique en mosquée. En 1556, Soliman élève une mosquée qui dépasse les dimensions de Sainte-Sophie de quatre zira [2] pour le diamètre et de six pour la hauteur, afin de rendre les architectes musulmans supérieurs aux architectes des pays chrétiens. En 1935, Atatürk transforme Sainte-Sophie en musée.

144

Mosquée.

matinée d'aller prendre un bain en Afrique, déjeuner en Asie près de Moka, nous promener en Europe et faire la lecture d'*Atala* en Amérique. Une barque nous conduira partout en un instant et avant midi, nous aurons fait le tour du monde [1]. »

La tente turque des fêtes ou des soupers est soit une rotonde de tissu montée sur une charpente de bois, soit un véritable petit édifice alliant la brique, la tôle et la toile. En 1781, à Drottningholm, Gustav III fait construire par l'architecte Piper, dans l'enceinte de son parc, un corps de garde imitant les tentes turco-ottomanes. J.L. Desprez élèvera quelques années plus tard, dans le domaine d'Haga, trois tentes de métal au décor polychrome peint en trompe-l'œil. A l'époque de Gustav III, elles étaient meublées de divans à la turque. La plus grande fait aujourd'hui office de salon de thé-restaurant.

La mosquée dans le goût turc, de plan carré ou circulaire, surmontée de coupoles et flanquée de minarets, est souvent associée aux autres fabriques exotiques des parcs. Chambers l'a utilisée à Kew, le prince de Ligne à Belœil, l'architecte Renard au château du duc de Penthièvre à Armainvilliers. Les planches de Le Rouge (1774), comme celles de William Wright (1768), en proposent divers modèles. C'est en Allemagne que l'on peut en voir, de nos jours, un exemple exceptionnel.

Le parc de Schwetzingen, aménagé au XVIIIe siècle pour Carl Theodor, électeur de Bavière, juxtapose un jardin classique inspiré de Le Nôtre et un jardin baroque animé de fabriques. Le visiteur y retrouve aujourd'hui encore, dans les vastes perspectives de tilleuls et de lilas, le bassin aux cerfs, les angelots jouant avec des monstres marins, le grand Pan, Galatée et Triton, le temple d'Apollon. Mais von Sckell aménage aussi un espace « loin du monde », ponctué de ruines artificielles et rappelant les jardins anglais. Pas un voyageur de qualité qui, dans la deuxième moitié du XVIIIe siècle, ne séjourne à Schwetzingen. Voltaire et Glück viennent s'y reposer ; Mozart, enfant, joue au château... En 1780, l'électeur fait aménager une partie du parc en jardin turc et commande à l'architecte Pigage, qui vient d'élever une délicieuse maison de bains, les plans d'une mosquée. Des galeries couvertes, décorées de treillis, entourent la cour carrée, sur le côté de laquelle s'élève la mosquée à

145

147

146

145. *Maison turque à Haga.*

146. *Tente turque pour le roi Gustave III à Drottningholm.*

147-148-149. *La mosquée du parc de Schwetzingen.*

148

14

vaste coupole flanquée de deux minarets. Des salles d'ablutions et des reposoirs précèdent l'entrée. Le cadre insolite de la cour a servi de scène à des représentations théâtrales, *L'Enlèvement au sérail* de Mozart, notamment. La mosquée est exceptionnellement utilisée aujourd'hui comme lieu de culte par les musulmans vivant en Allemagne, après avoir été transformée en cabaret en 1945 par les troupes américaines. Le parc, ouvert au public, garde de son époque fastueuse la beauté d'une nature romantique dans laquelle treillages, fabriques et pièces d'eau se répondent avec un raffinement tel que Schwetzingen demeure l'un des plus beaux jardins d'Europe.

L'architecture civile, en revanche, s'inspira peu du style turc. En 1778, l'architecte J. Soane établit le projet d'une laiterie turque. En 1780, un café turc du boulevard du Temple, à Paris, comportait un minaret élevé dans la cour. *L'Illustration* de 1853 mentionne des maisons cons-

truites à Marseille par des négociants turcs. En 1860, Adalbert de Beaumont, artiste peintre et dessinateur parisien, se fait bâtir une maison turque qui sera détruite quelques années plus tard lors des remaniements de la période haussmannienne. Une carte postale témoigne de la présence à Paris en 1900 de stands de foire de style turc à coupole surmontée du croissant et de l'étoile.

Pour l'Exposition de 1867, l'architecte Parvillée reconstitua la mosquée de Brousse, un kiosque du Bosphore et des bains turcs. « Nous devons à M. Léon Parvillée l'importation en France de ces belles briques émaillées dont le secret était jusqu'ici resté en Orient, et qui finiront par supplanter le stuc dont nous avons tant abusé. [...] Si nous nous en rapportons à l'attrait qu'elles exercent sur les visiteurs du kiosque du Bosphore, il est probable que la France héritera désormais des anciennes fabriques de l'Orient pour les briques émaillées [1]. » Ce kiosque est décrit par Théophile Gautier comme « un *kanak* ou pavillon d'été comme on en voit sur les rives du Bosphore. [...] Le style choisi est l'ancien style turc avec ses toits à forte projection, ses arcs légers, ses frêles colonnettes, ses galeries à jour et ses cabinets treillissés. [...] Le bain arrondit non loin du kiosque sa coupole étoilée de disques en verre semblables à des gros diamants cabochons qui donnent du jour et empêchent la vapeur de s'échapper. [...] Ce bain ressemble à celui de la place Top'hané à Constantinople, où nous avons passé tant d'heures délicieuses entre un chibouck et une tasse de café [2]. »

Quant à la mosquée de Brousse, c'est « celle qu'on nomme la Mosquée verte, avec son dôme surmonté du croissant, sa porte à l'arc évidé au cœur, ses fontaines aux grillages ouvrés comme une guipure d'or et placés aux angles en manière de pavillons. [...] Il est bien entendu que la mosquée du Champ-de-Mars n'a pas la dimension de la mosquée de Brousse ; mais, comme l'échelle de réduction est suivie exactement pour les moindres détails, l'impression est la même [3]. »

Près de Copenhague, la villa Hasa fut détruite en 1938, lors de l'ouverture d'une route en bord de mer. Elle dressait des coupoles et son minaret de style turc aux abords de Hvidorejev. En 1856-1857, Georg Carstensen, le créateur du jardin de Tivoli, fit élever à Copenhague, un grand établissement de fêtes, l'Alhambra, avec salle de concert

151

150. *Le kiosque du Bosphore à l'Exposition Universelle de Paris, en 1867.*

151. *L'Alhambra, élevé dans un jardin près de Copenhague, par le fondateur du parc d'attractions de Tivoli, G. Carstensen.*

152. *Le pavillon des Tabacs Turcs, Exposition Universelle de Paris, 1889.*

150

et théâtre dans le style turc. L'inauguration des bâtiments eut lieu durant l'été 1857, mais malgré leur succès, dû à l'éclat de leur architecture, l'ensemble fut vendu en 1868 et l'Alhambra détruit. Il faut noter encore que le cimetière turc de Malte s'ouvre par une porte monumentale avec de multiples minarets et des coupoles surmontées du croissant.

De la mosquée aux bains.

« Une mosquée, un kiosque, un bain, c'est la Turquie tout entière », s'était exclamé Théophile Gautier à l'Exposition de 1867. Le Second Empire utilisera de manière privilégiée la coupole byzantine pour ses églises et ses bains.

153. *Basilique nationale du Sacré-Cœur, Bruxelles.*

154. *Eglise Notre-Dame-des-Victoires, Saint-Raphaël.*

155. *Westminster Roman Catholic Cathedral, Londres.*

Le développement urbain de l'époque nécessitait un effort d'équipement public important qui favorisa un renouveau architectural (hôtels, gares, théâtres, etc.).

De nombreux architectes, à la fois séduits par l'éclectisme et influencés par le renouveau du néo-roman et du néo-gothique, étudient le style byzantin. En 1839, Carl Heideloff avait publié, à Nuremberg, une vaste étude sur l'architecture byzantine. En 1865, Dartein propose, en France, les résultats d'une recherche importante sur les origines de l'architecture romano-byzantine. Pour la cathédrale de Marseille, construite entre 1844 et 1870, l'architecte Léon Vaudoyer reprend la coupole, l'arc byzantin et la bichromie dans l'appareillage de pierre comme Espérandieu pour Notre-Dame-de-la-Garde vers 1850. Notre-Dame-des-Victoires à

158

Saint-Raphaël procède du même esprit. L'architecte Vandremer reprend ce style pour l'église de Montrouge (1870) et Notre-Dame-d'Auteuil (1876). La coupole blanche romano-byzantine du Sacré-Cœur de Montmartre, élevé entre 1876 et 1919, est l'œuvre de l'architecte Abadie, successeur, comme architecte diocésain, de Viollet-le-Duc. Le Sacré-Cœur servira de modèle pour des restaurations d'églises ou des constructions dans diverses régions françaises. A Tours, entre 1887 et 1924, Lalmy élève la nouvelle basilique Saint-Martin et à Lille, Delemer, l'église Saint-Sauveur, de 1890 à 1900. Le mouvement se diffuse dans toute l'Europe, puis se trouve renouvelé quelques années plus tard dans la cathédrale de Westminster (Metropolitan Roman Catholic) de 1903, la basilique nationale du Sacré-Cœur à Bruxelles, commencée de 1905 à 1935 par les architectes A. Van Huffel et P. Rame, et terminée en 1970, la cathédrale d'Anvers de 1930 (M. Smolderen, architecte), et l'église Sainte-Odile à Paris, réalisée en béton et briques par l'architecte J. Barge en 1936.

Anatole de Baudot, élève de Viollet-le-Duc et auteur en 1867 d'*Églises de bourgs et de villages,* recueil de petits monuments « pouvant servir de types encore aujourd'hui pour nos constructions religieuses [1] » s'intéresse à la fois aux possibilités nouvelles du béton armé et du fer, et aux formes inspirées de son goût pour l'exotisme. Il utilise beaucoup les claustras, la coupole et l'arc oriental. Au Salon de 1886, il expose un projet d'école d'art qui prend l'aspect d'un palais du Proche-Orient. En 1900, il propose pour l'Exposition universelle une vaste salle de fêtes évoquant un caravansérail oriental. En 1894, il réalise pour l'église Saint-Jean-

157

156. *Le Bazar du parc de Tivoli, aujourd'hui un restaurant.*

157. *Le pavillon de la Perse, Exposition Universelle de Paris, 1878.*

158. *La salle de concert du parc de Tivoli, détruite pendant la Première Guerre mondiale.*

156

de-Montmartre l'amalgame de caractéristiques byzantines et d'une architecture d'avant-garde. Notre-Dame-de-Bethléem à Clamecy, construite en 1927, allie, elle aussi, le béton armé et une esthétique byzantine utilisant des voûtes à petite et moyenne portée.

La jetée-promenade Roma, à Ostie, construite en 1927 par G. B. Milani, le palais Rameau construit à Lille par A. Mourcou et H. Contamine en 1878, et le projet de pavillon hollandais pour l'Exposition de Bruxelles de 1910 par W. Kromkrout sont parmi les seuls bâtiments laïques de style romano-byzantin que l'on peut citer.

Mais l'architecture des villes d'eau fait abondamment référence à ce style. L'établissement thermal construit à Vichy par Charles Le Cœur entre 1892 et 1900 allie le dôme, la polychromie et l'arc en plein cintre. Les thermes du Mont-Dore et de Besançon sont bâtis dans le même style. Agis Ledru semble s'être inspiré de la basilique de Constantin pour la construction de Royat en 1851. Il utilise à nouveau le dôme pour l'agrandissement de l'établissement thermal de La Bourboule en 1876-1877. Celui de Salies-de-Béarn, édifié en 1857 et reconstruit partiellement en 1888, associe les thèmes byzantins et mauresques. Il est intéressant de signaler que l'établissement thermal fut donné quarante-sept fois comme sujet de concours d'architecture entre 1819 et 1914 ; les cures thermales ont pris en effet une expansion importante en France sous l'impulsion de Napoléon III.

De nombreux bâtiments amalgament plusieurs tendances de l'architecture islamique ; les historiens de l'art avaient distingué plusieurs éco-

159

159. *Notre-Dame-de-Bethléem, à Clamecy, trouve son origine dans le testament de Guillaume IV de Nevers : parti pour les Croisades, il mourut à Saint-Jean-d'Acre en 1168 ; dans son testament, il demandait à être enterré à Bethléem et léguait aux évêques de cette ville l'hôpital de Pantenor qu'il possédait à Clamecy ; c'est ainsi que de 1225 à la Révolution, cinquante évêques de Bethléem se succédèrent à Clamecy et l'église construite en 1927 commémore ce passé étonnant de la ville natale de Romain Rolland.*

160. *Eglise Sainte-Odile à Paris.*

160

161

162

les : syro-égyptienne, persane, ottomane, indoue et du Maghreb [1]. Mais les architectes européens négligeront des variations qui peuvent aller du style maghrébin avec ses minarets de section carrée au style égyptien dont les minarets ont une section circulaire, comme dans le monde ottoman. La limite entre les styles reste floue, notamment entre les styles turco-ottoman et persan, ce dernier ayant eu une influence très limitée en Europe. Il fut néanmoins représenté aux Expositions de Paris en 1878 et en 1900. La princesse de Sagan se fit construire une villa persane à Trouville avant 1900. La splendide salle de concert, construite dans le jardin de Tivoli (Copenhague) en 1863 par J. A. Stilhmann, fut détruite durant la Première Guerre mondiale, mais un second bâtiment, le Bazar, est aujourd'hui un restaurant. Seuls les styles moghol et mauresque conservent, lors de leur reprise en Europe, leur cohérence originelle. Le premier sera révélé par l'Angleterre, le second par la France.

Le ciel étonné de la campagne anglaise.

Dès la seconde moitié du XVIIᵉ siècle, les voyageurs européens décrivent avec enthousiasme les monuments de l'Inde moghole. François Bernier fut pendant douze ans le médecin du prince moghol Shah Jehan, puis de son fils Aurangzeb (1618-1707) qui marqua l'apogée de l'empire musulman en Inde. Il visite le Cachemire et toutes les grandes cités mogholes : Agra, Delhi, Amhedabad, Lahore. Ses relations de voyage abondent en descriptions de palais, de caravansérails, de mausolées musulmans, de bazars et de grandes portes fortifiées. Il classe parmi les merveilles du monde le Taj Mahal d'Agra et la mosquée de Shah Jehan à Delhi. Au XIIIᵉ siècle, les royaumes hindous avaient été envahis par des vagues successives d'origine musulmane ; au XVIᵉ siècle, le grand empereur Akbar domine ce nouveau monde : il souhaite obtenir la fusion des peuples hindous et musulmans, et le signifie notamment par le développement d'une architecture extraordinaire ; celle-ci mêle des racines de style arabe, modifiées déjà par des emprunts à la Perse, et les caractéristiques du style hindou. La magnificence de cette architecture appelée moghole est telle qu'une inscription sur la mosquée de Bijapur assure, avec raison pensons-nous, que « le ciel a été étonné par la splendeur de sa construction [1] ».

Après l'implantation anglaise en Inde, au XVIIIᵉ siècle, l'intérêt pour l'architecture moghole s'intensifie. Les premiers résidents anglais en poste dans les grandes villes sont sensibles à cette beauté originale. Le paysagiste William Hodges établit, entre 1781 et 1783, un inventaire des monuments de l'Inde du Nord sous la direction de Warren Hastings. Ses dessins seront exposés plusieurs années de suite à l'Académie royale de Londres et quarante-huit d'entre eux seront publiés entre 1715 et 1788. Pour la première fois, l'architecture moghole est présentée à l'Angleterre dans un mouvement d'admiration qui n'est plus dédié seulement aux monuments hindoux. De nombreux artistes anglais, attirés par les possibilités de fortune que semble offrir le pays, vont s'installer aux Indes. Ils exécutent surtout des portraits de résidents anglais ou des grandes familles locales [2], mais les situations domestiques sont replacées dans des arrière-plans d'architecture vernaculaire : colonnades de palais, ouvertures polylobées, pavillons à bulbes dans le lointain des jardins, cortèges de fêtes se rendant à la mosquée...

Dès 1788, George Dance intègre certaines caractéristiques de l'architecture moghole aux bâtiments qu'il dessine : des fenêtres à motifs moghols sur la façade sud du Guildhall de Londres, des bulbes et des créneaux à Cole Orton (Leicestershire) et à Stratton Park (Hampshire). Mais c'est Thomas Daniell et son neveu William Daniell qui introduisent en Europe une authentique architecture moghole. Au cours d'un voyage effectué en 1785 à Calcutta, le long du Gange et dans le Sud du pays, Thomas et William Daniell établissent une série très importante d'aquarelles représentant les paysages et l'architecture des régions qu'ils traversent. Rentrés en Angleterre, ils publient, de 1795 à 1808 cent quarante-quatre tableaux intitulés *Oriental Scenery*. De nombreux artistes s'inspireront de ces tableaux et diverses personnalités font appel à Thomas Daniell. Thomas Hope lui-même, qui aménage son hôtel particulier de Duchess Street dans un style exotique avec des curiosités égyptiennes et chinoises, lui commande une toile pour faire pendant à une peinture du forum romain par Giovanni Pennini. Daniell exécute pour lui, en 1799, une mosquée en Hindoustan.

A peu près à la même époque, Thomas Daniell construisit, sur le domaine de Sezincote, une maison pour Charles et Samuel Cockerell, dans

LA NOSTALGIE D'UN EMPIRE PERDU, L'ARCHITECTURE DE L'INDE MOGHOLE

163

163-164. *Domaine de Sezincote : la ferme du château et l'orangerie.*

165-166-167. *Domaine de Sezincote : le pont indien, le parc et le château moghol construit par l'architecte Thomas Daniell ; Th. Daniell et son frère William avaient été peu attirés par l'architecture durant leur voyage en Chine. En 1785 ils arrivent à Calcutta et voyagent en Inde. Ils établissent alors une série très importante d'aquarelles des paysages et de l'architecture moghole. Rentrant en Angleterre en 1793, ils publient leurs travaux ; de nombreux artistes s'inspireront de ces publications et diverses personnalités feront alors appel à Thomas Daniell, comme peintre ou comme architecte. Les frères John, Charles et Samuel Cockerell (ce dernier étant aussi architecte) ayant connu Th. Daniell en Inde s'adressent à lui lorsqu'ils achètent le domaine de Sezincote.*

168. *Les écuries royales de Brighton.*

le style de celles qu'ils avaient admirées lors de leur séjour au Bengale. La demeure principale, achevée en 1805, est surmontée d'un dôme encadré par quatre clochetons ou *tchattri*[1]. Une serre conduit à l'orangerie aux fenêtres polylobées, surmontée d'un petit kiosque octogonal. Pour les jardins, Daniell reprend la symbolique hindoue : la source-femme et le ruisseau-mâle exultent une harmonie tranquille de paix répondant au dôme marquant le ciel de son cœur ; celui-ci tente de se frayer un espace dans le miroir du long bassin de pierre, dans la fragilité des lotus entrouverts... Inexorablement la mémoire est ramenée à une image presque identique, à Agra, devant ce Taj Mahal élevé en mausolée d'amour par Shah Jehan, grâce à vingt-deux ans du travail continuel de vingt mille hommes, ou encore à Lucknow dans les jardins de Qaisar Bagh où les femmes et jeunes filles du harem de l'empereur allaient en chantant prendre des bains d'huiles de rose et de jasmin... Seules la beauté de la campagne anglaise qui dévale derrière les barrières brunes, et la fraîcheur

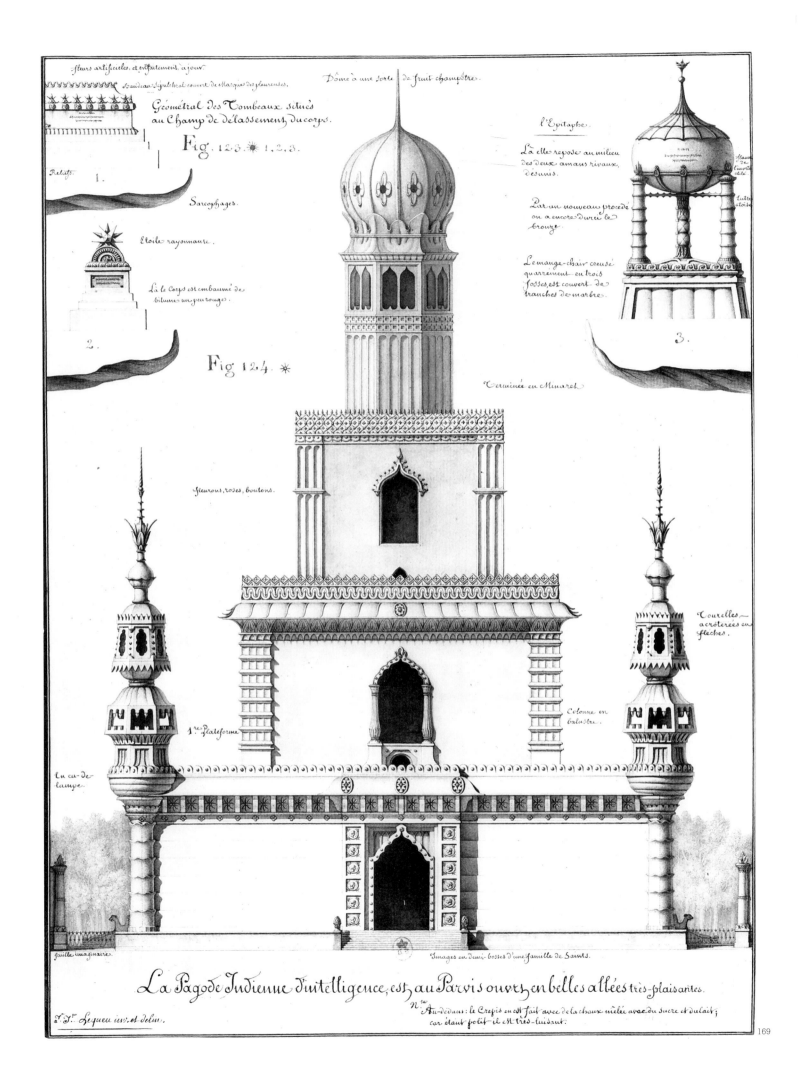

fleurs artificieles, et entierement à jour.

Géométral des Tombeaux situés au Champ de délassement du corps.

Bandeau Sépulchral couvert de Marques des pleureuses.

Dôme à une sorte de fruit champêtre.

Fig. 123. ✻ 1, 2, 3.

l'Épitaphe.

Reliefs. 1.

Là elle repose au milieu des deux amans rivaux, désunis.

Sarcophages.

Par un nouveau procédé on a encore durci le bronze.

Étoile rayonnante.

Le mange-chair creusé quarrement en trois fosses, est couvert de tranches de marbre.

Là le Corps est embaumé de bitume un peu rouge.

2.

3.

Fig 124. ✻

Terminée en Minaret

Fleurons, roses, boutons.

Tourelles acrotérées en flèches.

Colonne en balustre.

1re Plateforme

En cu-de-lampe.

fouille imaginaire.

Images en demi-bosses d'une famille de Saints.

La Pagode Indienne d'intelligence, est, au Parvis ouvert en belles allées très-plaisantes.

J. J. Lequeu inv. et delin.

Nota Au-dedans: le Crepis en est fait avec de la chaux mêlée avec du sucre et du lait; car étant poli, il est très-luisant.

de l'air de cristal nous rappellent que nous sommes bien dans un mirage dans le Gloucestershire...

A la différence de Sezincote, bâti par des amoureux de l'Inde, aucun des constructeurs du Pavillon royal de Brighton n'eut de contact personnel avec l'Inde. Le futur George IV d'Angleterre était prince de Galles et avait vingt-quatre ans en 1786 lorsqu'il loua un cottage dans l'ancien port militaire de Brighton (Sussex). « Pendant quarante ans, ce site allait être le creuset de ses rêves orientaux[1] » et il transformera Brighton en un lieu balnéaire à la mode. Holland, l'architecte de l'aristocratie londonienne, adapte d'abord le cottage en demeure de style gréco-romain. Entre 1801 et 1804, P. F. Robinson, un élève de Holland, ajoute au pavillon central deux ailes dont les fenêtres sont surmontées d'ornements chinois. Toutes les chinoiseries de la demeure du prince à Londres sont

169. *Projet d'une pagode indienne de J.-J. Lequeu.*

170. *Jetée du Pavillon royal de Brighton, vers 1900.*

171. *Le Pavillon royal de Brighton.*

170

171

transportées à Brighton ; les murs sont recouverts de papier peint à la chinoise et le mobilier, comme la décoration, usent surtout de l'imitation de motifs de bambou.

Le prince souhaite créer de vastes écuries pour ses chevaux de course. Il fait appel à l'architecte Porden qui avait manifesté son goût pour l'architecture exotique en exposant à l'Académie royale, en 1797, un projet de place de fêtes publiques dans le style de l'architecture moghole. Pour Brighton, Porden puise son inspiration à la fois dans la rotonde de la halle au blé de Paris et dans la grande mosquée de Dehli que les dessins de Daniell avaient largement fait connaître. Les écuries royales, terminées en 1806, étaient un vaste bâtiment aux larges fenêtres polylobées, à la façade ponctuée de colonnades-minarets, surmonté d'un dôme qui éclaire les quarante-quatre stalles distribuées en cercle autour d'une fontaine.

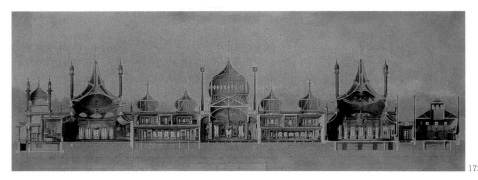

172

En 1807, le prince achète sa résidence et souhaite harmoniser les deux styles en présence à Brighton : l'architecture moghole et l'architecture chinoise. Porden soumet des projets dans le style chinois, en s'inspirant de Chambers, de William Alexander et de Holland ; puis H.Repton propose douze aquarelles pour un palais moghol et James Wyatt (l'architecte de W. Beckford pour Fonthill Abbey) fait aussi des propositions. Mais, en 1815, le prince appelle John Nash. Nash considère le style des écuries comme déterminant pour l'ensemble. Selon P. Conner[1], le prince aurait retenu lui aussi le style moghol qu'il avait apprécié en voyant régulièrement sur les terrains de fêtes de Brighton des pavillons démontables de ce style. De nouveaux bâtiments furent reliés aux anciens par des colonnades-minarets. Créneaux, bulbes et clochetons s'élèvent sur l'ensemble. En revanche, la décoration intérieure resta dans le style chinois. Le Pavillon royal est terminé en 1822, et en 1827, un album somptueux de trente-huit planches dessinées par Pugin montre les différents aspects de la construction. William IV succède à son frère en 1830 et continue les aménagements : portes d'entrée nord et sud des jardins de style moghol. Mais, en 1837, la reine Victoria monte sur le trône ; elle vendra le Pavillon à la ville de Brighton en 1850. Un peu plus tard, en 1858, lors de la reprise de Lucknow par les Anglais aux cipayes, le comte Canning, premier vice-roi des Indes, offre à Victoria, pour Windsor, un petit kiosque moghol provenant de Qaisar Bagh, les fameux jardins de la ville.

Brighton reste malgré tout la ville de l'architecture moghole. En 1825, le botaniste H. Phillips avait proposé la création d'un jardin oriental dans une immense serre, l'Arthenaeum, surmontée de trois dômes moghols. L'architecte Wilds, en édifiant la place Orientale, construisit trois maisons privées aux façades moghols dont l'une fut sa propre résidence. En 1850, la ville de Brighton élève pour le Pavillon royal une nouvelle

172-174. *Le Pavillon royal de Brighton: coupe de l'édifice (aquatinte de John Nash, 1826), et détail des toitures.*

173. *Jetée du Pavillon royal dans son état actuel.*

173

17

98

entrée sud dans le style moghol. En 1880, un exportateur de Bombay, sir Albert Sassoon se fait construire le Paston Palace, qui est aujourd'hui le Bombay Bar. De 1863 à 1866, Eusebius Birch construit la jetée ouest dont les pavillons reprennent certaines caractéristiques du style moghol. Moore construit en 1891-1899 la jetée du Pavillon royal dans le même style. On peut encore remarquer, dans les rues de la ville, le Montpelier Hotel.

La troisième construction moghole importante en Angleterre est l'œuvre d'un amoureux de l'Inde, comme le furent les créateurs de Sezincote.

Robert Smith (1787-1873) passe trente ans aux Indes où il travaille pour le génie civil, mais il construit aussi des demeures pour les dirigeants indiens. A Dehli, il est responsable de la restauration de plusieurs monuments moghols : le Fort rouge, le Qutb Minar, la mosquée Jammà Masjid. Au cours de ses voyages, il relève de nombreux croquis d'architecture. Bien des années avant la création de l'Inventaire archéologique des Indes, il demande des mesures de conservation pour les bâtiments les plus exposés au pillage et aux dégradations. Smith rentre en Europe en 1832 et se retire à Nice où il entreprend la construction de sa première « folie » par nostalgie d'un pays qu'il a passionnément aimé. D'un rocher aride dévalant vers la mer à l'extrémité du mont Boron, il fait un domaine aux allées larges, aisées, bien sablées. La demeure est de forme classique et de couleur rose pastel, rehaussée de coupoles, de minarets et de larges créneaux. Un escalier de deux cents marches descend à la mer où un port miniature est creusé dans le roc. La salle de spectacle de forme ronde peut contenir cinq cents personnes...

Son épouse décédée, Smith rentre dans le Devon de son enfance où il acquiert en 1853, à Paignton, un bâtiment situé sur un roc austère dominant une anse de la mer [1] ; à cet endroit, les rochers rouges de la côte anglaise ont certainement présenté dans la sensibilité de Robert Smith une correspondance avec le mont Boron. Pendant dix ans, il fera décorer sa demeure de créneaux moghols, de portes, de fenêtres polylobées et de clochetons. Son fils vend la propriété en 1902 et « Redcliffe

176

177

175

175. *Pavillon moghol de l'Exposition franco-britannique de Londres, 1908.*

176. *Le bâtiment-abri des chaudières de la section anglaise, Exposition Universelle de Paris, 1867, sur le modèle de la mosquée d'Ahmedabad en Inde.*

177. *Le pavillon des Indes françaises, la « pagode de Vichnou » qui présente à l'intérieur une exposition des produits des comptoirs français en Inde. Paris 1900.*

178. *A l'Exposition de l'Empire Britannique de Wimbley en 1924, la reproduction d'une mosquée caractéristique du style moghol.*

179

180

Tower » est transformé en un hôtel de luxe, tandis que le « Château de l'Anglais » à Nice est partagé entre divers copropriétaires. Malgré quelques transformations nécessitées par leur reconversion, les deux folies de Robert Smith conservent leurs principales caractéristiques ; elles témoignent d'une manière émouvante du transfert projeté sur un espace par ces êtres désireux de conserver proche de leur âme le rayonnement d'une civilisation un jour découverte, aimée à l'extrême, puis perdue.

A Paignton, un peu plus loin, le long de la jetée principale, un architecte inconnu, en hommage peut-être au symbole que représente R. Smith, suréleva une façade de deux clochetons moghols abritant des divinités ; à côté du Torbay Hotel, les jeunes s'engouffrent aujourd'hui,

181

182

183

sans un regard pour cette évocation muette de l'Asie, dans ce qui est devenu une salle de bingo...

« Comme des mâts d'ivoire, les minarets... »

Les Anglais choisirent de présenter à l'Exposition de Paris en 1867 un pavillon moghol inspiré de la mosquée de Synd-Oosman à Ahmedabad. La France accueille cette innovation avec beaucoup de réserve : « Le bâtiment qui abrite les chaudières de la section anglaise est encore plus baroque. [...] Est-il possible d'accoupler deux choses aussi dissemblables que le contenant et le contenu ? Le temple de l'époque des Afghans-Lodis et les engins mécaniques du temps de Victoria Ire et de Napoléon III ? Emprunter au pays du soleil le style d'un de ses édifices sacrés pour préserver de la pluie des chaudières anglaises ! [...] Quant aux coupoles qui boursouflent symétriquement la toiture aplatie, elles ont tout l'air d'être couvertes en toile blanche, et cela donne à l'ensemble l'air misérable d'un décor de théâtre forain. Au centre de chacune de ces cinq grandes casquettes de jockeys (les coupoles), se dresse une flèche dorée qui pourrait également avoir soutenu les rideaux d'une chambre d'auberge ou les bannières d'un village pavoisé en l'honneur du 15 Août.[...] Que les Anglais se consolent d'avoir construit [...] la mosquée ridicule, en songeant qu'ils ont eu la gloire de créer les premiers un genre d'architecture en rapport avec le génie moderne, lorsqu'ils ont élevé la douane de Liverpool [1] » !

Pourtant, à l'Exposition du « Palais de Cristal », Théophile Gautier avait découvert avec enthousiasme la maquette de la ville de Lahore. « Heureusement, les Anglais, sachant que nous sommes trop pauvres ou trop casaniers pour jamais faire ce voyage féerique, ont mis l'Inde tout entière dans des caisses et l'ont apportée à l'Exposition.[...] Quelles silhouettes de villes prodigieuses nous nous sommes dessinées à l'horizon du rêve, sur les rougeurs d'un coucher fantastique, pagodes indiennes, minarets mahométans, dômes, coupoles, tours, toits en terrasse entre lesquels jaillissent les palmiers, longues bandes de murailles crénelées, portes triomphales, caravansérails, chauderies, tombeaux. [...] De ce fond sombre s'élancent, comme des mâts d'ivoire, les minarets des mosquées et les aiguilles fleuries des pagodes en albâtre ou en marbre.[...] Non contente d'avoir apporté le sol, les plantes, les animaux, la Compagnie

183. *L'Eden Théâtre, rue Boudreau à Paris, architectes W. Klein et A. Duclos, en 1884.*

184. *Le palais des Indes anglaises, à l'Exposition Universelle de Paris en 1889.*

185. *Le Palace Cinema, à Portsmouth.*

186. *La féerie nocturne des kiosques indo-moghols à l'Exposition Franco-Britannique de Londres, en 1908.*

184

185   186

des Indes a exposé une ville tout entière, afin que l'on pût se faire une idée complète de son empire oriental. Elle a aussi transporté la population sous forme de petites maquettes de terre colorée, modelées par les habitants eux-mêmes, qui font pénétrer intimement dans la vie des différentes castes [1]. »

Après l'Exposition coloniale indienne de Londres en 1886, et les Expositions à Paris de 1889 et 1900, l'apothéose moghole se déploie à l'Exposition franco-anglaise de Londres en 1908 ; des palais moghols reliés par des galeries à arcades avancent leurs kiosques octogonaux au-dessus du vaste bassin central de la cour d'honneur. En 1924, à Wembley, un palais moghol reprend une partie de la grande mosquée de

187-188-189. *L'intérieur du palais moghol de Sammezzano, aujourd'hui un hôtel.*
« Les musulmans se sont développés dans le sein de l'ornementation et de la couleur : ils ont appliqué leur génie à l'invention d'arabesques compliquées, où les lignes mathématiques, décomposées à l'infini, produisent des combinaisons toujours nouvelles [...]. Privés du dessin proprement dit, les Orientaux ont acquis une prodigieuse finesse de coloris. [...] Personne ne les a jamais égalés dans l'art de rompre les nuances, de les marier, de les contraster, de les employer par masse ou par filets, de les proportionner dans une eurhythmie infaillible. » (Th. Gautier, op. cit. t. I, p. 353).

187   188

18

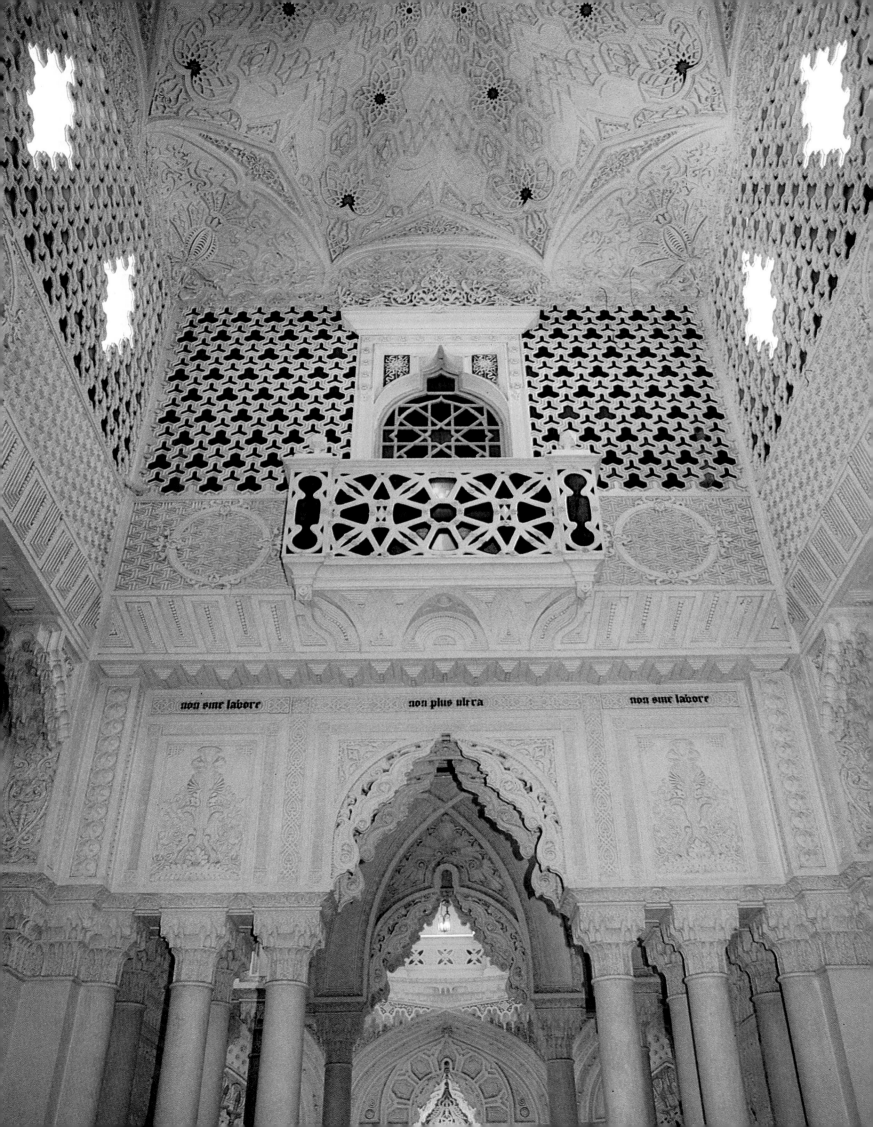

non sine labore   non plus ultra   non sine labore

Delhi. L'entrée est polylobée, les deux clochetons émergent des exceptionnelles colonnes de lotus, les minarets ponctuent une façade crénelée. En 1931, à Vincennes, l'Hindoustan est représenté par un palais inspiré de l'architecture moghole d'Agra.

Les Britanniques reprendront le style moghol pour certains cottages, pour des pavillons d'entrée, en Irlande notamment où Henry Villiers-Stuart reçoit en cadeau un pavillon d'entrée de style moghol en 1826 ; séduit, il le fait reconstruire dans des matériaux durables vingt ans après. Mais ce style s'imposera essentiellement dans l'architecture balnéaire. Eusebius Birch lance la mode de l'exotisme sur les plages anglaises avec la jetée de Brighton. La jetée nord de Blackpool et celle d'Hastings utiliseront le style moghol pour leurs kiosques de jeux. La buvette de Surrey Gardens fut moghole pendant une courte période. En 1835, l'architecte Wilds élève à Gravesend des bains moghols. La majorité des cinémas qui avaient opté pour ce style ont malheureusement disparu : le *Globe* de Putney, de 1910, surmonté de deux *tchattri* ; le *Picturesque House* de Liverpool construit en 1913. En revanche, le *Palace Cinema* de Portsmouth élève toujours ses bulbes et ses clochetons entre les nouveaux immeubles du cœur de la ville.

La reine de Bhopal fit une donation à la ville de Woking (Surrey) pour procurer aux ressortissants de son État un lieu de culte conforme à ceux de leur pays d'origine. On peut voir, au bas de l'Oriental Street, la mosquée Shah Jehan construite en 1889 par W. H. Leitner, ancien responsable du département de l'Architecture à Lahore. Actuellement, quelques deux cents enfants viennent chaque semaine apprendre les livres sacrés dans la mosquée de la reine de Bhopal, une communauté de trois mille musulmans indiens travaillant à Woking.

En outre, il n'est pas rare de voir en Angleterre certains éléments d'architecture moghole intégrés à des bâtiments de style éclectique : Saint Paul House à Leeds allie une architecture à dominante néogothique et une porte ainsi que des fenêtres polylobées, des créneaux courbes sur le toit et des clochetons. Les Moulins indiens, construits en 1859 dans le Lancashire, sont surmontés de clochetons d'inspiration moghole et indienne.

Dans le reste de l'Europe, le style moghol a été utilisé pour quelques monuments funéraires. Dans le Brabant, celui du comte Goblet d'Alviella, historien de la franc-maçonnerie réunit clochetons moghols, co-

190. *Intérieur du casino d'Ostende, vers 1900.*

191. *Cortège du Grand Moghol, Retraite Illuminée d'Auxerre, 1889.*

190

192. *Bains de Gravesend, Kent, vers 1900.*

193. *Tombeau d'un prince indien à Florence, 1874. Les musulmans en Inde excellèrent dans ce type de construction funéraire, qu'ils souhaitaient ostentatoire pour la postérité.*

193

lonnes indoues, sphinx égyptiens et un idéogramme chinois[1]. Il fut dessiné par l'architecte Scemyn et réalisé par le sculpteur Houtstout. *Le Magasin pittoresque* de 1881 signale un monument funéraire moghol élevé à Florence à la mémoire d'un jeune prince indien. Un monument de style oriental fut élevé à Bristol pour le célèbre réformateur religieux Ram-Mohum-Roy, mort en 1833. A Neuve-Chapelle (Pas-de-Calais), l'architecte sir Herbert Baker érige deux chapelles mémoriales de style moghol pour marquer la présence des soldats indiens aux côtés des Anglais morts pendant la guerre de 1914-1918[2].

A l'origine, architecture d'une aristocratie dominante, ce style n'est employé que d'une manière exceptionnelle pour évoquer l'atmosphère de fête, mis à part l'intérieur du casino d'Ostende ; lors de la parade

illuminée du 5 août 1889, le char du Grand Moghol « passa » à Auxerre tiré par huit bœufs de Puisaye : « Tout à coup, les éclats d'une musique stridente, entremêlés de sons du gong, viennent frapper mes oreilles. Le Grand Moghol serait-il à Auxerre ? Tout est possible au milieu de pareils enchantements. Précisément le voilà, c'est lui-même le fameux Djahir el-din-Mohammed, surnommé Baber (le tigre), il s'avance précédé de sa musique indienne, et suivi des cavaliers de sa garde[1]. » En 1910, le cirque Sarrasini avait une entrée décorée d'arcades mogholes surmontées de *tchattri*[2].

Par contre, il se prête magnifiquement bien à une utilisation pour des folies, et en dehors de l'Angleterre, deux exemples, le premier en Italie, le second en France, vont beaucoup faire parler d'eux au XIXe siècle, bien que de manière très différente.

Dans la région de Florence, le marquis Ferdinando Panciatichi Ximenes d'Aragona hérite d'un domaine qu'il va transformer par plusieurs périodes de travaux ; de 1853 à 1873, le palais Renaissance devient une somptueuse symphonie de couleurs avec les halls, couloirs et corridors qui se succèdent, utilisant principalement la faïence et le staff dans une floraison inouïe de formes les plus éclectiques ; en contraste, le hall blanc, octogonal, avec sa voûte ouvragée et ses arcades polylobées, évoque les beautés de l'Alhambra. Mais en 1873 rien n'a encore été modifié sur la façade ; peu à peu les fenêtres de l'ensemble sont cernées d'arabesques, la toiture surmontée du créneau dentelé caractéristique du mo-

194. *Mosquée moghole de Berlin (R.F.A.) construite de 1924 à 1927 dans le style de la région de Lahore.*

195. *Mosquée de Shah Jehan à Woking, Surrey (G.-B.).*

ghol et enfin la porte est flanquée d'un appareillage de brique important reconstituant l'*iwan* persan que l'on peut voir sur les mosquées et palais de l'Inde du Nord.

Mais c'est dans le nord de la France qu'un industriel va utiliser l'architecture de l'Inde musulmane pour une folie. Victor Vaissier, qui avait fait fortune en créant « le savon des princes du Congo » se fait bâtir à Tourcoing en 1892 par C. Duprie-Rozan une demeure de style moghol. « M. Victor Vaissier, savonnier, ambitionnait de faire construire un château monté sur quatre éléphants. L'architecte, M. Dupire, ne crut pas pouvoir réaliser un tel projet, le béton armé n'étant à cette époque qu'au stade de ses premiers tâtonnements. M. Vaissier, se rangeant à l'avis de son architecte, désirait que son habitation prenne la forme et le style d'un édifice oriental surmonté d'un grand dôme garni de vitraux. Ce dôme, abondamment éclairé, pouvait être vu de très loin. Le château qui comportait de grands salons luxueux et un boudoir japonais était entouré d'un grand parc [1]. » Les couleurs étaient éclatantes, la décoration jugée excentrique, les intérieurs vert saule ou grenat. Mais l'originalité et le baroque « d'un tel rêve de Rajah dans ce brumeux pays de Flandre », liés aux brillantes « cavalcades du Congo » qu'organisa M. Vaissier comme parades publicitaires finirent par séduire. Le « Palais du Congo » fut démoli en 1925 et le parc loti. De cette histoire extraordinaire, seuls subsistent deux pavillons qui servaient autrefois de logements au concierge et au jardinier... et la plaque « Rue du Congo » fait peut-être encore rêver les enfants qui traversent le carrefour au sortir de l'école...

Le seul témoignage de l'architecture moghole subsistant en France, mis à part le « Château de l'Anglais » à Nice, est le petit pavillon du jardin municipal de Courbevoie, utilisé comme logement de gardien. Pavillon des Indes anglaises à l'Exposition de 1878 à Paris, cet édifice avait été racheté par Mlle George Achille-Fould-Stirbey, petite-fille du ministre des Finances de Napoléon III. Un second pavillon de la même Exposition, celui de la Suède et de la Norvège, acheté par son père, abrite aujourd'hui le musée Roybet-Fould de Courbevoie.

En Europe, il faut mentionner encore le palais moghol que l'architecte anglais Edward Blore a élevé à Alupka, en Crimée, entre 1837 et 1840, comme résidence de l'ambassadeur polonais Worontzow Dash Kow.

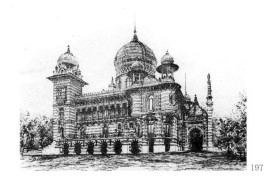

196. *Le pavillon des Indes anglaises à l'Exposition Universelle de Paris en 1878, dans son cadre actuel à Courbevoie.*

197-198. *Le palais Vaissier, à Tourcoing : dessin vers 1900 et carte postale de la même époque représentant l'édifice dans son contexte urbain.*

198

« Du fond d'un rêve, l'Orient venait à notre rencontre [1]. »

« Aurions-nous donc besoin d'une contrée lointaine, qui nous serait terre d'exil volontaire, pour qu'y trouve accueil ce qui de nous est indicible et là-bas se transpose en figures du secret ? [...] Ce que nous cherchons en Orient, c'est de passer la « muraille de Chine » de notre enfermement pour gagner les espaces fraternels de la steppe. Ce sont ses épices pour relever la fadeur de notre existence, ses étoffes pour visiter la misère de notre nudité, l'ombre de ses jardins pour calmer ou cacher l'impatience des désirs illicites... [2]. »

Dès le début du XIXe siècle, avec l'indépendance de la Turquie, la libération de la Grèce et la conquête de l'Algérie, l'Europe découvre une possibilité d'exotisme « à trois jours de Marseille ». Peintres, poètes, philosophes, savants s'emparent de l'orientalisme et en font un style esthétique dont la capitale sera Paris. Nerval, Goethe, Flaubert, Lamartine, Byron, Chateaubriand, Gautier, Loti font le voyage d'Orient. « C'est une transposition plus récente vers l'Est d'un enthousiasme de même ordre ressenti par l'Europe pour l'Antiquité grecque et latine au début de la Renaissance. En 1829, Hugo fait de ce changement une orientation : au siècle de Louis XIV, on était helléniste, maintenant on est orientaliste [3]. » Ceux qui ne partent pas en rêvent : Hugo, Heine...

A la suite de Delacroix, Chassériau, Fromentin, les peintres orientalistes se font reconnaître comme genre au même titre que les peintres de marines ou les paysagistes... « Un orientaliste avait beaucoup de chance de devenir riche entre 1840 et 1880 [4]. » L'architecture les inspire souvent [5] : *Mosquée près du marché des orfèvres au Caire*, de Henri Wallis ; *Habitations turques près d'Adalia*, de C.-E. de Tournemine ; *La Porte de l'Alhambra de Grenade* et *La Procession devant les tombeaux des califes du Caire*, de David Roberts ; *La Mosquée de Rabat*, de Lucien Lévy-Dhurmer. Mais *L'Odalisque au bain, Les Femmes d'Alger, La Circassienne à l'ombre des moucharabiehs* retiennent quelques images pittoresques pour les commuer en convention. « Le pittoresque turc intéressa les artistes bien plus que la misère grecque », se plaint l'essayiste Saïd [6].

LE MOUVEMENT ORIENTALISTE OU L'ORIENT COMME ESPACE DU PHANTASME

« Mon cher, l'Orient est à la mode ! Pierre Loti a, paraît-il, transporté à Rochefort la mosquée verte de Damas... A Nice, le comte d'Aspremont a imbriqué dans son château, sur la colline des Baumettes, un fumoir haut de douze mètres. A Marseille, chaque demeure qui se respecte a son fumoir oriental [...]. C'est te dire si je suis au goût du jour avec ma maison [...]. Dans mon boudoir, entre le narguilé et les coussins de soie, il est chic de raconter les derniers potins de Paris [...]. A toi, toujours.

HANNAH [7]. »

199 *La mosquée dans la demeure de Pierre Loti à Rochefort.*

200-201 *La villa Crespi, Italie : détails de la façade et vue générale. Cette villa fut construite, sur les bords du lac d'Horta, par un milanais qui avait fait fortune avec l'industrie du coton.*

199

202 *Le peintre orientaliste Ch. Cournault dans son atelier ; photographie d'époque.*

203 *Le Salon mauresque du château Monte-Cristo d'Alexandre Dumas, d'après l'Illustration de 1848.*

204 *L'hôtel de ville de Castelmoron-sur-Lot.*

205 *Villa mauresque à Dieppe d'un ingénieur du canal de Suez, rachetée plus tard par le marquis de Villeroy : celui-ci était propriétaire de faïenceries dans l'est de la France qui portent aujourd'hui le nom de Villeroy et Boch ; la villa fut vendue en 1923 à des propriétaires qui l'habitent toujours.*

202

Partis pour découvrir des pays tels qu'ils les avaient rêvés, certains revinrent désenchantés. Nerval s'écrie : « L'Orient n'approche pas de ce rêve éveillé que j'en avais fait il y a deux ans, ou bien c'est que cet Orient-là est encore plus loin ou plus haut [1]. » Il est vrai que beaucoup partent en Orient pour assouvir une soif de dépaysement et fuir, dans l'accord de vert et de rouge cher aux Marocains ou dans la courbe des coupoles blanches d'Alger, généreuses comme des seins de marbre, la grisaille de la vie bourgeoise. Ainsi, nombre de ces voyageurs sont incapables de privilégier l'expérience humaine ; du voyage où l'on ne cherche que le reflet de soi-même se dégage une amertume. Mais d'autres puisèrent dans les paysages aux couleurs splendides, dans les scènes de vie farouche ou voluptueuse, les images d'un éden « où l'on peut rêver ». Ils s'installent définitivement en Orient, ou, à leur retour, transforment leur univers européen. Benjamin Constant transforma une

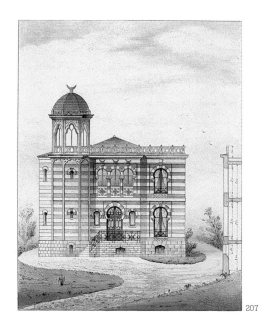

206 *Le salon turc de l'écrivain Pierre Loti à Rochefort ; au premier plan, le portrait d'Aziyadé.*

207 *Modèle de « petite habitation, genre turc » dans* Constructions modernes et économiques, *aux éditions Monrocq, Paris, fin XIXᵉ.*

208 *Villa Alexandra à Cannes, photographie vers 1880.*

209 *Mosquée de Pierre Loti.*

partie de son atelier en demeure mauresque. Lord Leighton recevait ses amis dans son « oasis arabe » de Holland Park à Londres.

A son retour de Tunisie en 1844, Alexandre Dumas père décide de faire construire un château à décoration mauresque. Mohammed et son fils, deux artisans mis à son service par le bey de Tunis, réalisent entre 1844 et 1846 les stucs des diverses pièces du château de Monte-Cristo à Port-Marly (Yvelines). Dumas habita le château de 1846 à 1848, date à laquelle des difficultés financières l'obligèrent à vendre son mobilier mauresque. En 1849, son divorce l'entraîne à se défaire de sa demeure, mais les nouveaux propriétaires conservent le salon au muret de marbre blanc et au décor de stuc. Puis une intervention d'historiens permet le rachat du domaine par les trois communes concernées et sa restauration.

Pierre Loti, poussé par la nostalgie de la vie quotidienne des pays qu'il avait traversés dans ses tours du monde, aménagea dans sa vieille maison de Rochefort des salles arabes et chinoises ¹... Une pagode japonaise voisine avec une mosquée reconstituée à partir des piliers d'une mosquée brûlée de Damas et d'un plafond de pavillon d'Exposition. Dans l'espace protégé de Rochefort (aujourd'hui devenu musée Pierre-Loti), l'écrivain pouvait égrener « la mélancolie inséparable des choses qui vont finir sans retour possible ».

Des demeures d'âmes passionnées.

Dépassant le décor intérieur, l'architecte Drevet établit pour le sculpteur Cordier, les plans d'une villa mauresque à un étage, au toit en terrasse, alliant pour les fenêtres l'arc outrepassé et les moucharabieh.

Les orientalistes avaient tous été fortement impressionnés par les maisons d'Alger. Alger, la ville blanche, qui dégringole vers la mer, entourée, à l'arrière-plan, des cimes violettes des monts Kabyles... Les rues du Caire ont aussi retenu le regard des voyageurs auxquels elles offraient leurs façades à encorbellements et moucharabieh, leurs scènes de marchés populaires, les broderies des caftans...

Charles Cournault, né à Langres en 1815, commençait des études de dessin en atelier lorsqu'il rencontra Eugène Delacroix. « Les scènes orientales notamment firent sur lui une impression qui ne devait jamais

s'affaiblir et qui décida de son avenir artistique. L'idée de parcourir ces pays de lumière, si magiquement évoqués par le génie de Delacroix s'imposa immédiatement à lui : dès l'année suivante, il partait pour Alger avec un camarade de l'atelier de Charlet, Eugène Ginain [1]. » Cournault fit un second voyage en 1843, se prenant « de passion pour les productions de l'art arabe, dont la délicatesse, la variété et l'élégance le charmaient. Il en copiait sur d'innombrables calques les entrelacements d'une géométrie si souple, où se mêlent avec tant de grâce des inscriptions religieuses et des motifs d'oiseaux et de feuillages. [...] C'est à ce moment qu'il conçut le projet de construire en France, sans savoir encore dans quel lieu, l'habitation arabe que les événements l'amenèrent douze ans plus tard à élever [près de Nancy], et pour laquelle il mit à profit les précieux matériaux qu'il rapporta de ses deux voyages [2]. »

210 *Villa Belle Rive, à Cannes en 1900.*

211 *Observatoire de l'abbé Moreux, à Bourges.*

212 *Villa Algérienne du Cap-Ferret, vers 1900.*
« *Les lanternes de cuivre, les poufs, les vases en damasquine, les guéridons enluminés, tout ce qui avait pu rendre luxueuse cette maison avait disparu ; tout ce qu'il avait imaginé autrefois en longeant le rivage en bateau, lorsqu'il regardait de loin la Villa Algérienne, ses pans de tuiles ruisselantes de lumière. [...] Ce n'était que des vestiges, mais leur charme restait actif. [...] Il ramassa un tableau, crevé en plusieurs endroits : c'était le portrait d'un officier méhariste en saroual et djellaba. L'homme posait devant la muraille d'un fort, ses yeux flambaient de vie spirituelle, et le turban d'un chèche emmaillotait son crâne. » (Eric de Saint-Angel, La Villa Algérienne, Grasset, Paris, 1985, p. 130).*

213 *Pavillon de l'industriel Godefroy, dans l'Oise.*

En 1852, Cournault se marie et s'installe dans une maison que lui offre son beau-père : un chalet à tourelle qu'à partir de 1856 il transforme peu à peu, en marquant successivement les fenêtres, les portes, les balcons, la tourelle, puis le toit et l'appareillage mural des caractéristiques de l'architecture arabe. Il fait appel aux conseils de l'orientaliste Adalbert de Beaumont qu'il avait rencontré à Venise, mais utilise ses propres croquis d'Algérie pour la décoration intérieure et extérieure. Un échange de lettres entre Cournault et de Beaumont, ainsi qu'un carnet de notes et croquis de ce dernier [3] sur « la décoration de la Douère », témoignent du soin apporté à chaque détail par les deux orientalistes pour assurer l'authenticité de l'ensemble : « Si vos fenêtres que vous m'envoyez ne sont pas faites, écrit de Beaumont, je joins ici un croquis de ce que je connais de plus pur au Kaire en ce genre, et je vous engage fort à leur donner cet aspect. [...] Vos portes sont très bien, mais je ne crois pas qu'il faille de découpures contre les piliers, c'est un non-sens. [...] Je trouve très bien la proportion de votre balcon, mais j'aime mieux la découpure se rejoignant. »

212

213

214

215

Parfois, les avis sont en opposition : « Ah ! mon Dieu, s'exclame de Beaumont, que vous êtes entêté avec votre affreux balcon à étoiles ! Mais c'est déshonorer votre construction : c'est un balcon de grenier et bon pour le petit chalet à fourrages : il n'a pas l'air plus arabe qu'un chien vert. [...] Enfin, je vais cependant vous envoyer ma balustrade qui est celle du balcon du grand Kaik du Sultan Omrat. » Mais « La Douëra » — ainsi baptisée par Cournault, « la petite maison » — prend peu à peu l'aspect qu'elle conserve aujourd'hui dans son intégrité. Cournault « racontait ses voyages en Afrique arabe, il évoquait les temps préhistoriques et surtout il avait construit cette maison insolite sous le ciel lorrain, l'avait meublée avec ces meubles rares, ces objets fascinants, l'avait remplie de son âme passionnée et de son cœur paisible. A la fin de sa vie, son petit-fils l'avait vu dans le calme de son atelier revêtir la gandourah et lire le Coran [1]. »

L'héritage artistique repris par les descendants de C. Cournault [2] permit de privilégier dans sa famille l'histoire de cette maison née d'un désir d'amour. Malheureusement l'origine d'autres maisons mauresques construites par d'anciens voyageurs nostalgiques ou par des amoureux lointains de la « petite Afrique » reste enfouie dans le secret du rêve de leurs constructeurs. En l'absence d'archives familiales ou du fait de changements de propriétaire, de belles histoires se sont évanouies à jamais... Seul demeure le témoignage d'une demeure « inouïe » dans un paysage inattendu. Ainsi, face à la mer qui s'en va à perte de vue, la villa Sans-Gêne insère sa blancheur et des arcs outrepassés dans l'alignement conventionnel des demeures balnéaires d'une côte de la Manche. « Cette maison a été construite par mon grand-père à la suite d'un voyage qu'il a effectué en Tunisie en 1898, raconte Georges Angelloz qui l'habite, j'ai toujours entendu dire qu'il s'agissait de la réplique d'une villa des environs de Tunis, mais je ne connais ni le nom de l'architecte ni la date exacte de sa construction. J'ai recherché dans les archives de la commune qui indiquent qu'elle a été répertoriée en 1911 mais, comme on me l'a précisé, ce n'est peut-être pas sa date de construction. Entre 1898 et 1911, la marge est grande... »

De même, un officier, en poste au Maroc pendant plusieurs années, fait construire au Tréport une vaste villa mauresque. Une partie de sa façade a conservé les couleurs traditionnelles vert et rouge, tranchant sur le blanc. A Dieppe, un ancien ingénieur du canal de Suez, probablement M. Le Bon, fait de même, sur le front de mer. Dans le Gers subsiste une villa construite en 1922 par un ancien colon de Tunisie et d'Algérie. Dans l'Oise, un couple rachète et restaure un pavillon mauresque à terrasse contruit par l'industriel Godefroy qui avait vécu au Maroc. Le bassin aux jets d'eau, la grotte factice et ses cascades, les plantations se voulaient une évocation des *Mille et Une Nuits* pour l'industriel qui avait fait fortune, lors de la Première Guerre mondiale, en écoulant la production de ses ateliers : des ogives d'obus.

Beaucoup d'autres maisons mauresques, disséminées à travers la France gardent le secret de leurs constructeurs : la villa du zouave Jean Demé à Fromentine (Vendée) qui date de 1922 ; l'observatoire d'astronomie de l'abbé Moreux à Bourges ; les demeures de Bourg-sur-Gironde, Privas, Maisons-Laffitte ainsi que celles de la Côte d'Azur : villas de Tamaris-sur-Mer, Hyères, Juan-les-Pins, Nice, Beaulieu-sur-Mer, Saint-Raphaël, Gattières, Le Trayas. Beaucoup d'autres ont été détruites et seul un témoignage nous en est encore donné par une page de *L'Illustration*, une carte postale, voire un souvenir : la villa algérienne du Cap-Ferret, la villa Alexandra à Cannes, celle de Villeneuve-l'Étang en région parisienne, le château mauresque de Lille (Wervicq). Mentionnons encore les rares constructions mauresques à usage collectif : la maison de Lille,

219 *La Douëra, près de Nancy ; état actuel.*

220 *Musée G. Labit, à Toulouse.*

221 *Dans la maison orientale du peintre Victor Madeleine, Lucien Banville d'Hostel dans son atelier, vers 1950.*

220

221

rue Thiers, construite en 1889 par Émile Debuisson ; une maison à Valence, aujourd'hui reconvertie en bureaux et siège de petites entreprises ; l'hôtel de ville de Castelmoron-sur-Lot (Lot-et-Garonne) ; l'habitation du vieux Mayeur à Liège, construite par Paul Jaspar aux environs de 1900.

223

222-225 *La maison de Victor Madeleine, sur les bords de la Seine, Ile-de-France : bow-window et salon. Préservée intégralement dans son style d'origine depuis sa construction en 1900, cette demeure pose le problème de tous les lieux de l'exotisme qui nécessiteraient un classement à la Caisse Nationale des Monuments Historiques afin d'en assurer leur conservation.*

223-224 *La manufacture des tabacs d'Ajaccio : décoration en mosaïque et porte d'entrée.*

224

222

225

Deux maisons privées furent l'objet d'un destin un peu particulier. Édouard Bonie, né en 1818, est à l'origine du musée Bonie de Bordeaux. Sa carrière de magistrat le conduit en Algérie où il acquiert des objets liés à la prise d'Alger, à la campagne de Kabylie et aux personnages qui s'y rattachent, notamment Abd el-Kader. Conseiller à la cour d'appel de Bordeaux à partir de 1874, il complète ses collections lors de ses grands voyages en Tunisie, en Égypte et en Espagne notamment. Il fait agrandir son hôtel particulier et le transforme : « Il voulut évoquer pour toujours le rêve qu'il avait fait au cours de ses séjours en Orient ; et Sidi Bonie, comme il aimait à se faire appeler, créa le fumoir arabe, meublé de coffres, d'étagères, d'aiguières, de lanternes, de chibouks, éclairé par une fenêtre mauresque et par une coupole à décor persan, le harem avec son divan, ses tapis, des lustres, un narghileh et ses tasses à café, et enfin le patio, cette cour orientale dont il était si fier, qu'il avait conçue lui-même, dont il avait étudié tous les détails, et où il a combiné l'Alhambra de Grenade, le palais du Dey, la cour du procureur général d'Alger, avec des moucharabieh du Caire, sans oublier le bassin central où fuse un jet d'eau [1]. » Édouard Bonie lègue son musée à la ville ; malgré ses « recommandations laissées dans quatre codicilles et dans neuf notes à consulter », celle-ci en a fait aujourd'hui un musée de la Résistance...

A Toulouse, Georges Labit meurt prématurément en 1899. En 1912, son père, Antoine Labit, laisse par testament à la ville le musée personnel que son fils avait créé dans la villa mauresque qu'il s'était construite. Les voyages du collectionneur l'avaient conduit jusqu'au Japon... Le docteur Sallet qui avait passé une partie de sa vie en Annam comme conservateur du musée de Tourane réussit à sauver le musée resté pendant trente-cinq ans à l'abandon. Depuis 1945, on peut y voir les collections réunies par Labit ainsi que les apports d'Extrême-Orient favorisés par le docteur Sallet.

Mais si ces deux constructions mauresques bénéficièrent d'un destin exceptionnel, l'ensemble de ces demeures reste aujourd'hui largement dépendant du sens esthétique de chacun des nouveaux propriétaires ; quelques maisons mauresques sont peu entretenues, témoignant ainsi du hasard des héritages ou des ventes ; la majeure partie d'entre elles, cependant, est bien au contraire perpétuée dans le style original, mal-

226 *Le Casino d'Arcachon, en 1900.*

227 *L'hippodrome national de l'architecte Ch. Rohault de Fleury.*

228 *Les bains Deligny, Paris, gravure de 1872.*

229 *Façade d'entrée actuelle des bains de Dunkerque.*

230 *L'Alhambra-Hôtel de Nice, aujourd'hui transformé en appartements privés.*

231 *L'ancien laboratoire de biologie de Tamaris-sur-Mer, dont la construction fut financée par Michel Pacha.*

232 *L'hôtel Orient à Menton.*

226

227

gré les soucis financiers en général très lourds qui incombent aux nouveaux habitants. Certaines demeures passent alors le cours des ans, dans un respect de l'œuvre du créateur qui en fait aujourd'hui des témoignages uniques d'une époque, d'un art de vivre et de la passion d'un individu. Ainsi la maison mauresque du peintre breton Victor Madeleine, aujourd'hui encore, intacte dans ses tons de rouge et de vert, regarde par ses moucharabieh les rives de la Seine qui, elles, ont bien changé. Madeleine, peintre orientaliste, avait fait construire cette vaste maison et il avait travaillé lui-même les vitraux des pièces, et les bois découpés dont les arcades séparent l'atelier du salon. Lorsqu'il meurt, en 1931, un autre artiste achète la maison : Lucien Banville d'Hostel, à la fois peintre et poète-imprimeur, quitte Montmartre où il avait son atelier pour s'installer dans cette demeure mauresque qu'il va conserver scrupuleusement dans l'état laissé par son constructeur ; puis à la mort de Banville, en 1956, sa fille Madeleine reste dans la maison qui nous parvient aujourd'hui telle qu'elle fut construite vers 1900.

L'architecture mauresque et les espaces de l'eau.

L'architecture intérieure de nombreux lieux publics fut mauresque entre 1860 et 1900 : à Paris, celle du restaurant *La Closerie des Lilas*, du fumoir de l'hôtel Normandie, et... de la maison de rendez-vous du 6, rue des Moulins, notamment. Mais ce sont les établissements de bains et ceux des villes balnéaires qui reprirent le plus souvent le style oriental se référant par là à la tradition du hammam en milieu islamique. En 1893, l'architecte A. Marcel construit rue de Babylone des bains mauresques aujourd'hui détruits. Les splendides bains de Dunkerque fonctionnaient encore récemment mais le déplacement du bâtiment est envisagé. Un petit établissement à Rennes, des bains à Besançon témoignent de ce style ; en revanche, les bains de l'Arsenal à Lille sont totalement défigurés et ceux de Bordeaux ont été transformés en garage.

La piscine Deligny, à Paris, fut mauresque pendant quelques années. Ses propriétaires reconvertirent le vaisseau-cénotaphe destiné aux restes de Napoléon Ier en piscine mauresque, avec deux grandes galeries latérales et parallèles réunies aux deux extrémités par des constructions transversales et par un ponton au centre. Outre le grand bassin de quatre-vingt-neuf mètres sur dix-sept, sur fond de bois, les Parisiens disposaient à Deligny de trois cent quarante cabines particulières, de six salons loués à l'année et de multiples salles communes. L'École royale de natation

231

232

131

— nouveau titre de Deligny — était l'œuvre conjointe des frères Burgh, de l'architecte Galant et des décorateurs Philastre et Cambon [1].

Les établissements balnéaires des plages furent souvent traités dans le style oriental. Les bains de la grande plage de Biarritz, construits en 1858 par l'architecte Bertrand, ceux de la plage de Noëveillard à Pornic, le premier établissement de Deauville entre 1860 et 1865, le premier établissement de Dieppe, les thermes salins de Biarritz (de l'architecte Lagarde) furent tous d'architecture mauresque, mais la plupart d'entre eux ont été remplacés dès la fin du XIXe siècle ou détruits depuis.

Les casinos et quelques hôtels-restaurants des villes balnéaires importantes furent associés à cette architecture : le casino mauresque d'Hendaye, le casino de la Jetée à Nice, terminé en 1890 d'après les plans de l'architecte Meyer. Le plus connu est sans doute celui d'Arcachon : « Ce casino est un monument, c'est quelque chose comme l'Alhambra remis à neuf et agrémenté de coupoles plus orientales que mauresques ; les salles sont d'une splendeur inconnue, la vivacité et le brillant des tons rehaussés d'or, tempérés par des demi-teintes d'une douceur extrême, offrent une harmonie savante. Le soir, coupoles et minarets s'illuminent et, au milieu du jardin, un élégant pavillon abrite l'orchestre [2]. » Le casino, inauguré le 12 juillet 1863, comportait des salons « de lecture et de conversation », un café-glacier, un théâtre de polichinelle et une salle de danse. La saison de 1865 débuta par un concert du musicien turc Ali Ben Sar Ali et le *Journal de la Gironde* du 28 juillet 1863 déclare : « Arcachon est aujourd'hui une page éblouissante de l'Inde dorée... » Les coupoles du casino avaient été classées monument historique. Mais au cours de l'hiver 1977, l'édifice fut détruit dans un incendie, il ne reste aujourd'hui qu'un pavillon de gardien.

L'Alhambra-Hôtel de Nice, construit vers 1900, a gardé son aspect extérieur orientalisant, malgré un ravalement monochrome. Dans l'arrière-pays niçois, le restaurant de La Turbie était encore de style mauresque. Enfin, mentionnons quelques établissements publics divers : l'Hippodrome national de Ch. Rohault de Fleury (Paris, 1850), aujourd'hui détruit ; un bâtiment de l'ancienne École d'agriculture coloniale de Nogent, aujourd'hui loge de gardien ; l'École d'administration coloniale de Paris ; l'institut de biologie et de recherches sous-marines de Tamaris-

233

234

sur-Mer, construit en 1899 ; la manufacture des tabacs d'Ajaccio, aujourd'hui divisée en plusieurs commerces ; et un projet d'embarcadère de chemin de fer à Meaux, de l'architecte Arnoux, en 1848.

Des écrins exotiques pour un drapeau.

« Ô Moghreb sombre ! Reste bien longtemps encore, muré, impénétrable aux choses nouvelles, tourne bien le dos à l'Europe [...] afin qu'au moins il y ait un dernier pays où les hommes fassent leur prière. Et qu'Allah conserve au Sultan ses territoires insoumis et ses solitudes tapissées de fleurs, ses déserts d'asphodèles et d'iris, pour y exercer dans l'espace libre l'agilité de ses cavaliers et les jarrets de ses chevaux. [...] Qu'Allah conserve au peuple arabe ses songes mystiques [...], aux vieilles mosquées l'inviolable mystère », psalmodie Pierre Loti. Mais le Maghreb sera un écrin exotique pour un drapeau lors des grandes Expositions de la fin du siècle.

A l'Exposition de 1867, l'architecte Drevet élève plusieurs constructions arabes dans le style de celles que l'on trouve en Égypte : le pavillon d'Ismaël Pacha dont les portes ont été réalisées au Caire, une petite habitation de domestiques et une grande maison urbaine à cour intérieure. L'architecte Chapon reconstitue, sous la direction de M. de Lesseps, un quartier du Maghreb reproduisant le Bardo ainsi qu'un café, une boutique de barbier et des échoppes de bazar. Des artistes tunisiens viennent exécuter la décoration, « deux ciseaux en fer d'inégale dimension, font toute l'affaire et sont leurs seuls outils. Pas de marteaux, de couteaux ni de compas. Le pouce et le ciseau. Aucun dessin n'est tracé d'avance, l'artiste va d'inspiration et exécute avec une prestesse et une régularité à confondre l'observateur les rosaces et les découpures les plus compliquées et les plus délicates [1]. » Ce pavillon sera remonté dans le parc Montsouris où, après avoir servi de siège administratif aux observatoires créés dans les environs, il se dégrade de plus en plus et cache aujourd'hui l'état désespéré de ses coupoles derrière un rideau d'arbres nouvellement plantés ; mais un récent accord passé

233-234 *Le palais de la jetée de Nice, vue panoramique en 1890 et intérieur du restaurant.*

235 *La maison des machines de Sans Souci à Potsdam, construite par l'architecte C.-V. Diebitsch sur les dessins de L. Persius, avait pour but d'alimenter en eau les fontaines du Parc.*

236-237 *Détails de la façade du pavillon mauresque de Louis II de Bavière à Linderhof.*

236   237

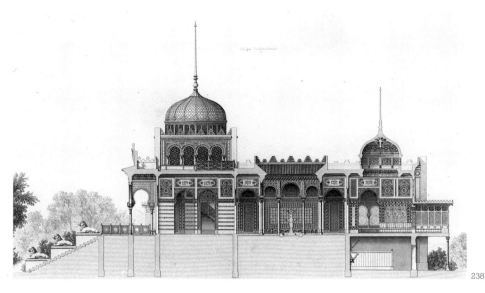

entre la Tunisie et la ville de Paris peut faire espérer sa restauration.

Lors de cette même Exposition, l'empereur du Maroc fait élever une boutique et des écuries. L'architecte Lehmann et les frères Duval, tapissiers de Sa Majesté Impériale, travaillent au pavillon français qui évoque « un caprice extérieur et intérieur des *Mille et Une Nuits* qui mériterait de figurer sur les rives du Bosphore ou dans une oasis de l'Yémen [1] ». L'architecte berlinois Karl von Diebitsch réalise pour la section prussienne un pavillon mauresque qui sera transplanté à la fin de l'Exposition à Zbirow en Bohème ; puis en 1876, Louis II de Bavière le rachète et le fait remonter dans le parc de Linderhof, dans la beauté d'un site exceptionnel ; il l'aménage en salle du trône, dominée par des paons de verre multicolore exécutés par une entreprise munichoise. Louis II s'y rendait après avoir écouté, dans le théâtre de sa grotte artificielle, depuis une barque entourée de cygnes, des opéras de Wagner, dont il attendait désespérément la visite.

C'est à l'Exposition de 1889 que, pour la première fois, les trois pays du Maghreb sont présents. L'architecture marocaine est représentée par une mosquée, des boutiques et un café. Les architectes Ballu et Marquette ont élevé un palais algérien dont chaque partie rappelle un édifice d'Alger. Le palais tunisien du jeune architecte Saladin réunit une porte de la Medersa Sullymania, une façade et un dôme de Kairouan, un minaret de Sidi-ben-Arrouz. Des danseuses tunisiennes se produisent derrière les palissades du café en plein air. L'architecte Delort, qui a collectionné pendant des années les informations sur l'art arabe, recompose une rue du Caire bordée de vingt-cinq maisons illustrant les divers types de l'habitat arabe... La vie s'y installe dans les jeux de lumière, les odeurs de beignets frits et les cris du marchand de confiture de dattes et de roses.

A l'Exposition de 1900, les colonies françaises d'Afrique du Nord sont à l'honneur. Le palais des attractions algériennes (de A. Ballu), constitué de plusieurs maisons arabes, propose des dioramas sur les paysages et l'architecture du pays. M. Saladin a élevé sur cinq mille mètres carrés une ville arabe dans laquelle il a reproduit de nombreux monuments tunisiens. Au pied de la tour Eiffel, dans un paysage de jardins anglais, le pavillon du Maroc aux couleurs rouge et vert est dominé par le minaret de Tétouan et entouré des bazars de Fez et de Rabat. Mais c'est

238-239-240 *Le palais du Bey de Tunis (appelé aussi le palais du Bardo) à l'Exposition Universelle de Paris de 1867 : coupe, vue d'ensemble et plan de la décoration des sols. Le palais du Bardo sera, par la suite, remonté dans le parc Montsouris, à Paris.*

241 *Palais de l'Algérie, Exposition Universelle de Paris, 1900.*

242 *L'aquarium de Scarborough.*

243 *Vue intérieure du Panopticon de Londres, en 1854.*

244 *Le Panorama du Caire, parc du Cinquantenaire, Bruxelles, 1897.*

245 *Palais de l'Algérie, Exposition Universelle de Lyon, 1894.*

l'Andalousie qui propose l'exposition mauresque la plus représentative avec des maisons de la province de Tolède, la tour de Séville, mauresque par sa base et Renaissance par ses clochetons, un village maure et la reconstitution de la cour de l'Alhambra de Grenade.

La France représente ses colonies du Maghreb à l'Exposition de Liège en 1905 ; à l'Exposition de Milan en 1906, une place importante est consacrée à la reconstitution de ruelles égyptiennes à moucharabieh. A Londres, en 1908, de vastes souks algéro-tunisiens font contrepartie à l'architecture aristocratique du palais de l'Algérie. Avenue des Colonies, à Bruxelles en 1910, se juxtaposent minarets et coupoles blanches ; le Panorama du Caire, construit en 1897 dans le parc du Cinquantenaire par E. van Humbreeck servit de cadre à une présentation de dioramas orientalistes, avant d'être transformé en centre islamique et en mosquée. Le Maroc se révèle au public français à Marseille en 1922 : le palais des faïences, mosaïques, fontaines et patios accueille divers dioramas sur les villes marocàines et des salles de peinture consacrées aux orientalistes français [1]. Pour la première fois, la Syrie et le Liban participent à une Exposition avec le pavillon des Intérêts français dans le Levant. Des compagnies privées comme la compagnie Paquet, les Biscuits Coste et

241

242

244

243

245

Ricqlès ont aussi choisi l'architecture mauresque pour leurs pavillons.

Mais c'est à l'Exposition coloniale de 1931 que l'Orient sera le plus magnifié, reconnu et accepté ; le « sens d'un grand effort » est largement mis en valeur (kilomètres de routes, nombre de vaccinations, augmentation de la scolarisation) dans les palais tunisien (de l'architecte Valensi), marocain (de Fournès et Laprade) et algérien (Charles Montaland) ; les dioramas s'ouvrent sur des jardins aux vasques de marbre et aux parfums de géranium, de rose, de jasmin, et de cuir poivré. Au Café Maure, les visiteurs se pressent pour découvrir les sucreries, le thé à la menthe, les sirops à la violette ou à la rose. Le pavillon des États du Levant, construit par l'architecte Moussali, le pavillon de la Palestine aux faïences bleues et vertes, les pavillons privés des produits Julien Damoy et de *L'Illustration* complètent ce panorama de l'architecture mauresque

246 *Le théâtre Alhambra à Londres, façade sur Charing Cross Road, vers 1936, avant démolition.*

247 *Le Panorama du Caire transformé aujourd'hui en Centre Islamique, Bruxelles.*

248 *Le palais du Bardo, aujourd'hui au parc Montsouris, Paris.*

250

qui est largement évoquée pour la première fois dans *Le Livre d'Or de l'Exposition*. Les souks permettent aussi à l'Europe de découvrir la richesse des expressions esthétiques des divers pays : les artisans avec leurs produits et leurs techniques, leurs fêtes, leurs coutumes et leur gastronomie.

Le style mauresque... de Art à Zoo !

Le style mauresque fut utilisé par le XIXe siècle finissant, et même par le XXe siècle, dans tous les pays d'Europe. En Angleterre, en 1850, T. M. Lewis s'inspira de la mosquée du Caire pour élever, à Leicester Square (Londres), le Royal Panopticon of Science and Art prévu pour offrir à un large public un enseignement général. Quatre ans plus tard, le Panopticon est reconverti en théâtre sous le nom de Royal Alhambra Palace Music Hall devenant le « triomphe de la frivolité sur la vertu [1] ». L'Alhambra aura une existence mouvementée : il perdra l'essentiel de sa décoration intérieure exotique en 1871 ; il sera partiellement détruit par le feu en 1882 et reconstruit en 1883 ; il subira des transformations successives jusqu'en 1912 et sera démoli en 1936. Le somptueux aquarium élevé à Scarborough en 1877 par l'architecte Birch connaîtra des avatars tout aussi divers. Les bassins étaient présentés sous des voûtes mauresques dans un décor mural de briques aux motifs rouge et noir. Mais l'établissement fait faillite et devient une piscine d'été en 1893, un théâtre en 1907, une patinoire en 1909, un parc zoologique en 1913, puis un lieu de fêtes populaires de 1923 à 1966, date à laquelle il est détruit et remplacé par un parking. Peter Burton proposait pourtant d'utiliser ce magnifique bâtiment comme musée de matériel forain [2].

Les bains orientaux de Leeds, construits par Cuthbert Brodrick en 1866 et détruits en 1969, reprennent l'appareillage de briques, le créneau mauresque, la coupole et le minaret d'inspiration turque. En 1870, F. J. Ward dessine pour la gare de Blackfriars à Londres, une façade ouest avec des fenêtres polylobées sur trois étages, surmontée de tours et de minarets. Lord Leighton, peintre et sculpteur, fit deux voyages en Orient en 1868 et 1873, au cours desquels il acquit des mosaïques auxquelles il souhaitait donner un cadre adéquat dans son « Oasis » de Holland Park à Londres. George Aitchison s'inspira du palais de la Zisa à

249 *Le café arabe de Dusseldorf (R.F.A.), vers 1890.*

250 *Rœmer Visscherstraat à Amsterdam, la maison mauresque.*

249

139

Palerme et réalisa un hall arabe aux murs tapissés des fameuses mosaïques.

Une rue d'Amsterdam, la Roemer Visscherstraat propose en sept maisons construites par l'architecte Tjeerd Kuipers à partir de 1894 un panorama de divers styles d'architecture que l'on trouve en Europe. L'Espagne de Cordoue et de Grenade est représentée par une maison de style oriental.

La Wilhelma que Guillaume Ier fit élever dans la vallée du Neckar à partir de 1841 par l'architecte orientaliste Zanth (1796-1857)[1] est l'œuvre de style mauresque la plus représentative en Allemagne. On pénètre dans la demeure du roi par un vestibule avec cour intérieure à fontaine. Une porte empruntée au style de l'Alhambra de Grenade donne accès à la salle de la Coupole dont les murs sont ornés d'arcades outrepassées et d'arcs brisés à stalactites. Les décors de la galerie de peinture, de la chambre du roi, du bureau, de la salle à manger [...] sont polychromes et le mobilier oriental : sofas, sièges, tabourets ont été dessinés par Zanth et réalisés dans des bois précieux. Zanth, qui avait découvert l'architecture islamique lors d'un voyage en Sicile, travailla d'après ses souvenirs, d'après les plans de bains mauresques envoyés dans ce but de Constantinople par l'intendant des bâtiments de Guillaume Ier, et d'après des publications d'architecture, notamment celle par Murphy des plans de l'Alhambra restauré en 1815.

251 *La synagogue d'Anvers.*

252 *La synagogue de Verdun.*

253-255 *La synagogue de Besançon.*

254 *La synagogue de Cologne.*

251

252

254   255

Dans le parc, de splendides serres construites en 1852-1854, surmontées de coupoles octogonales, ont une structure en bronze doré soutenue par des piliers de fonte à chapiteaux mauresques et arcs outrepassés. Des galeries prolongent les serres, délimitant des terrasses en se terminant par des kiosques. Le pavillon de la salle des fêtes, auquel on accède en traversant le jardin des fleurs, possède une décoration en reliefs polychromes inspirée de celle de l'Alhambra. Entre 1844 et 1852, Zanth fit élever le petit pavillon du belvédère dont les portes et les fenêtres reprennent l'arc outrepassé. Le pavillon de Damas de 1863, qui ferme la perspective à l'est, se reflète dans l'eau d'un bassin et se prolonge dans une volière en forme d'éventail.

En 1918, la cour de Wurtemberg fut dissoute et la Wilhelma transformée en un jardin botanique dont l'attraction principale était les serres chaudes et leurs plantes rares. Le parc est consacré aujourd'hui à la zoologie. Au cours des restaurations successives, certains bâtiments ont été transformés : l'édifice principal a vu sa coupole remplacée par une verrière ; du pavillon des fêtes, il ne reste que l'entrée. Le pavillon de Damas, quant à lui, est à l'abandon et l'on peut y voir le lierre agrippé aux magnifiques polychromies des stucs.

Les jardins zoologiques allemands ont très souvent intégré des éléments d'architecture mauresque. La maison des autruches du zoo de Cologne construite en 1860 ressemblait à une mosquée. La maison des ruminants à Hanovre (1863), celle des antilopes à Berlin (1872), celle des éléphants à Francfort (1874) étaient de style mauresque. La maison des singes de Breslau (aujourd'hui Wroclaw, en Pologne), construite en 1887 par M. Steckmann, se présentait comme un palais à hautes tourelles.

D'autres architectes allemands utilisèrent le style mauresque : Thouret en 1839 pour l'hôtel des Bains de Wildbad ; F. Hitzig pour un kiosque de la villa Gerson à Berlin. C.V. Diebitsch reprendra ce style dans plusieurs de ses réalisations : un projet de Bourse en 1853, la construction des bains mauresques du château d'Albrecht en 1855 et surtout l'étonnante maison des machines de Potsdam dont les coupoles, les minarets et la décoration de bandes émaillées sont inspirés de la mosquée du Caire.

Par ailleurs le style mauresque sera utilisé dans deux cas, de manière exceptionnelle dans l'histoire, comme tentative de retrouver des racines.

Une tentative de racines religieuses.

A partir de 1839, de nombreuses synagogues seront construites dans le style oriental : celle de Dresde par Gottfried Semper en 1839-1840, celle de Göteborg en Suède par August Krueger en 1851, celle de Mayence par Opfermann en 1853. Otto Simonson, disciple de Semper, qui élève celle de Leipzig en 1855, justifie ainsi son choix esthétique : « Le temple est construit dans le style mauresque car je pense qu'il est le plus adapté. Le judaïsme est fidèle à son histoire ; ses lois, ses coutu-

256-257 *La mosquée de Paris : inauguration, en 1926, par le Sultan du Maroc et le Président de la République Française ; état actuel de l'édifice. Construite par les architectes Heubés, Fornez et Mantout, divers souverains participèrent à son aménagement : le Roi du Maroc offrit le lustre principal, Farouk d'Egypte la chaire, le Shah d'Iran un tapis du XVIIe siècle...*

258 *La mosquée de Hambourg.*

259-260 *La Wilhelma que l'architecte Zanth éleva pour Guillaume Ier : Zanth voyagea beaucoup, notamment en Sicile où durant deux ans, il étudia l'architecture arabe ; et en Angleterre où il s'intéressa particulièrement à l'architecture des jardins. A partir de 1835, jusqu'à sa mort à Stuttgart en 1857, il travaillera essentiellement pour le Roi de Bade Wurtenberg à l'aménagement du parc de la Wilhelma. Son œuvre réalisée dans cette commande témoigne à la fois de son goût pour les serres qu'il avait aimées en Angleterre et de son intérêt pour l'orientalisme puisé dans les recherches et les visions de la Sicile. La Wilhelma fut le cadre de somptueuses et nombreuses festivités jusqu'à la dissolution de la Cour de Wurtemberg.*

256

259

260

mes et pratiques, l'organisation de ses rituels, l'ensemble de ce qu'il est provient de l'Est, sa terre natale [1]. »

Le renouveau de l'intérêt des communautés juives pour leur origine orientale, jusqu'alors rejetée vigoureusement, se cristallisa lorsque l'idée de restaurer une terre juive en Palestine fut évoquée à plusieurs reprises dans divers pays d'Europe ; de nombreux débats furent publiés par la presse anglaise et allemande, puis par la presse française. L'ancienne hostilité juive pour le Proche-Orient se transforma peu à peu en intérêt, d'autant plus que des œuvres artistiques européennes en donnaient une image attrayante. G. Semper avait aussi fait un voyage en Sicile, découvrant l'architecture sarrasine, et, peu après les premières constructions dans ce style, des publications sur les anciennes synagogues construites par les communautés juives en Espagne dans le style mudéjar proposent celle de Tolède comme modèle.

Les communautés juives du monde entier se retrouvaient chaque année à Leipzig pour une très grande fête, aussi la synagogue de Simonson eut-elle une influence considérable sur l'architecture des synagogues de la fin du XIXe siècle. De 1856 à 1861, Ernst Zwiraer reprend pour la synagogue de Cologne des motifs architecturaux tels que le minaret et le créneau. L'accueil fut enthousiaste. La synagogue de Berlin, construite de 1859 à 1866 par E. Knoblauch fut accueillie comme le plus bel édifice public des communautés juives. En Hongrie, des synagogues de même style sont construites à Székesfehervar en 1862 par B. Cetter, à Temesvar par I. Schumann, à Budapest en 1866 par I. Knabe, à Pécs en 1869 par K. Gerster et L. Frey. En 1859, à Budapest, L. von Foerster construit la synagogue Dohany Ucca dans un style alliant des caractéristiques mauresques et persanes. Dans ce même style furent élevées les synagogues de Wiesbaden, Bonn, Aix-la-Chapelle, Nuremberg, Karlbad, Vienne, Prague et Rumbach Utca de Budapest. En Italie, la synagogue de Florence, construite de 1874 à 1882 par M. Falcini, V. Michelli et M. Treves, s'inspire du plan de Sainte-Sophie à Istamboul. La synagogue de Turin, en revanche, reprend le style éclectique, ainsi que celles de Leningrad, Londres, Paris, Nancy, Lyon, Anvers...

Certains lieux de culte islamique seront conçus dans une architecture d'origine : les mosquées de Leningrad et de Londres sont de style mauresque ; celle de Berlin, de style moghol pakistanais ; celle de Hambourg, de style iranien. La mosquée de Paris, à la fois lieu de culte, d'enseignement et de recherche sur la culture islamique fut élevée entre 1922 et 1926, sur un terrain offert par la ville de Paris aux communautés musulmanes juste après la Première Guerre mondiale. Des bâtiments de style mauresque sont ordonnés autour d'un jardin de verdure et d'eau évoquant une image du Paradis. Des projets se multiplient à l'heure actuelle : à Rennes, à Mantes-la-Jolie, on remplace les lieux de culte en HLM par des mosquées avec minaret ; de même à Milan. Vers 1980, des concours sont proposés à Madrid et à Rome pour la création de centres islamiques.

261

261 *Centre islamique de Londres.*

262 *Synagogue de Wiesbaden.*

263 *L'école Aguirre, Madrid.*

264 *Maison particulière du début du siècle près de la mosquée de Cordoue.*

262

Une tentative de racines historiques en Espagne et au Portugal.

« ... Si on lui demandait ce qu'il a voulu faire ici, il dirait que c'est la mosquée. [...] Les couleurs orientales sont venues d'elles-mêmes empreindre toutes ses pensées, toutes ses rêveries ; et ses rêveries et ses pensées se sont trouvées tour à tour, et presque sans l'avoir voulu, hébraïques, turques, grecques, persanes, arabes, espagnoles même, car l'Espagne, c'est encore l'Orient [1]. »

Pour les voyageurs romantiques — Hugo, Gautier, Mérimée, Dumas —, les noms sonores des villes espagnoles, la lumière crue de leur ciel immuable, la variété des fleurs de leurs jardins, les palmiers, les aloès et les cactus de la sierra Morena font de cette contrée, pourtant si pro-

265

che géographiquement, un panorama oriental. Cordoue, l'Africaine, avec son incomparable mosquée, Séville avec le minaret rose de la Giralda et ses balcons semblables à ceux des harems, Grenade et son « poème sculpté », l'Alhambra... ces « labyrinthes d'édifices dressés côte à côte [2] » offrent à l'amateur d'art un voyage exotique qui va contribuer à valoriser dans le pays même le patrimoine architectural du passé.

L'Espagne, tournée vers la culture française et européenne, découvre, à la suite de ces romantiques d'une part, et des textes de Viollet-le-Duc d'autre part, la richesse des racines de son histoire. La presse illustrée reprend le thème de la guerre d'Orient et fait découvrir au public espagnol les coutumes, les arts et l'architecture mauresque. Le style mudéjar [3] — style hispano-mauresque créé au Moyen Age par des artisans musulmans qui furent autorisés à travailler dans l'Espagne chrétienne selon leur tradition — connut un tel renouveau au XIXe siècle que cette architecture exotique est érigée en style national.

L'Alhambra de Grenade devint la référence architecturale par excellence. Le roi Alphonse XII offrit à l'empereur d'Allemagne, vers 1880, une jarre qui était la réplique d'une pièce de l'Alhambra de l'époque nasride. La galerie San Felipe de Madrid fut le premier édifice pour lequel l'architecture s'inspira de l'Alhambra. Le roi voulut un salon musulman à Aranjuez puis ce goût fut largement suivi par l'aristocratie et la bourgeoisie. L'expansion des villes commerçantes et industrielles, ainsi que la faveur de nombreux créateurs mal à l'aise dans le classicisme

266

intolérant de rigueur jusqu'à cette époque, donna à ce renouveau oriental une très large possibilité d'expression. Dès 1855, l'art néo-mudéjar s'affirme également dans les grandes Expositions, d'abord avec le pavillon espagnol conçu par l'architecte Grube pour l'Exposition internationale d'Anvers, ensuite en 1857, avec celui de l'Exposition d'agriculture de Madrid.

Ce sont les arènes néo-mudéjares construites à Madrid en 1874, et disparues aujourd'hui, qui imposent ce nouveau style. Il est probable que c'est Alvarez Capra [1], auteur des plans du pavillon espagnol néo-mudéjar de l'Exposition de Vienne de 1873, qui eut l'idée de s'inspirer de ce style pour les arènes. Son associé, Emilio Rodríguez Ayuso, jeune architecte ayant fait de brillantes études à une époque de renouveau pédagogique mené aux Beaux-Arts de Madrid par Aníbal Alvarez Bouquel, n'avait produit aucune réalisation de ce genre. Le premier projet faisait référence à Cordoue et reprenait l'alternance des deux couleurs de briques et les créneaux sur les corniches. La bichromie fut abandonnée lors de la réalisation mais l'appareillage de briques reproduisait des dessins géométriques simples. Le portail reçut des dimensions dépassant celles du reste de l'édifice, reprenant l'arc outrepassé et polylobé. Les arènes renouaient, dans l'esprit de leurs créateurs, avec les origines de la tauromachie que l'on situait dans les cours maures de Tolède, Cordoue et Séville à l'époque de leur apogée. Toutefois, il faut noter une innovation technique importante : l'utilisation du fer dans la construction. Ayuso utilisa encore le style néo-mudéjar pour la construction de l'école Aguirre à Madrid, inaugurée en 1884 : Capra, pour l'église de la Paloma à Madrid, conçue en 1896 et terminée en 1912 après la mort de l'architecte.

Carlos Velasco fut le troisième grand architecte à promouvoir le style néo-mudéjar à Madrid. Avec Eugenio Jimenez Corera, il dessina l'église San Fermín de los Navarros, réalisée de 1885 à 1891. La décoration extérieure de briques reprenait le modèle des églises mudéjares de Tolède et l'intérieur était de style gothique. Vers 1880, Ortiz de Villajos réalisa à Madrid une façade dans le style mudéjar pour le cirque Price, aujourd'hui démoli. Nombre de bâtiments orientaux furent construits dans

267

cette ville à la fin du siècle dernier et au début de ce siècle : l'institut Valencia de Don Juan par l'architecte Enrique Fort, en 1886 ; l'immeuble d'habitation de la rue Campomanes, vers 1890 ; le couvent de la Concepción Francisca par Juan Bautista Lázaro, en 1905 ; l'église Nuestra Señora de la Buena Dicha par Francisco Garcia Nava, en 1916 ; les arènes monumentales qui remplacèrent celles d'Ayuso, construites de 1919 à 1932 par Jose Espeliús et Manuel Muñoz Monasterio... Le succès de l'architecture mudéjare fut tel que dans son discours à l'Académie de San Fernando, en 1882, l'architecte Rada s'exclamait : « L'art architectural de notre siècle doit être éclectique, rassemblant les éléments de tous les styles pour produire une composition hybride dans laquelle se trouve une pensée génératrice... [1]. »

La région catalane fut le foyer principal du mouvement « moderniste [2] » qui opta pour des matériaux nouveaux, l'usage de la couleur, une ornementation naturaliste et un travail artisanal. Certains architec-

265-266 *Intérieur et entrée de la maison d'un imprimeur allemand pour son épouse andalouse, rue Berlines à Barcelone.*

267 *Le Cirque-Théâtre Price, à Madrid, vers 1880. Architecte : Ortiz de Villajos.*

268 *Les arènes monumentales de Barcelone.*

269 *La maison Vícens à Barcelone, Architecte Gaudí.*

270 *Le palais des Beaux-Arts à l'Exposition hispano-américaine de Séville, 1911.*

271 *La tour du centre d'Etude et d'Application des eaux, Barcelone.*

270

268

269

271

tes modernistes s'inspirèrent du style mudéjar. Gaudí, lui-même, dans sa première œuvre, la maison Vícens à Barcelone (1878-1885), reprend, avec le génie qui lui est propre, certains éléments architecturaux et décoratifs musulmans. L'œuvre mudéjare la plus importante issue du mouvement moderniste est la réalisation des architectes Mas i Morell et Raspall i Mayol [1] pour les arènes de Barcelone en 1910. Ces arènes reprennent la brique, l'arc outrepassé pour les ouvertures, les portes monumentales, et possèdent des tours surmontées de coupoles de faïence blanche et bleue.

De nombreux bâtiments avaient été réalisés à Barcelone en intégrant des caractéristiques hispano-mauresques : la maison Gallissa, rue de Valencia, le pavillon du labyrinthe de Horta, les bains orientaux de Font i Carreres (1872), aujourd'hui disparus. Rue Berlines, un imprimeur allemand construisit la maison « Alhambra » pour son épouse andalouse qui se sentait exilée en Catalogne ; l'imprimerie se trouvait au rez-de-chaussée, la réception au premier, l'habitation au-dessus, et l'étage suivant était réservé à la famille andalouse venue soutenir le moral de la maîtresse de maison ; le toit comportait une vaste coupole qui fut sacrifiée ultérieurement pour de nouveaux étages d'habitation ; la cour intérieure conserve une colonnade et des stucs moulés, réalisés sur des modèles anciens de Séville. Le pavillon et le restaurant élevés en 1890 au sommet du Tibidabo, et disparus aujourd'hui, étaient également de style mudéjar. Il en est de même pour les arènes d'Augusto Font de 1892, les bains de Caldes de Malavella de 1900, le pavillon du parc municipal de Montjuich et une maison d'habitation près de l'église de la Sainte-Famille, de 1904.

A Valence, un commerçant spécialisé dans le bois se fit construire vers 1880 une maison orientale aujourd'hui disparue [2]. En revanche, la maison mudéjare de la rue Calvo Sotelo, édifiée vers 1890, existe toujours.

A la fin du XIXe siècle, Séville connaît une expansion commerciale et un développement urbain sans précédent [3]. L'Andalousie prend conscience de son identité culturelle que s'attachent à dégager certaines recherches historiques et des revues littéraires telles *Andalucía* ou *Bética*. Le premier édifice de style néo-mudéjar construit dans la région fut, en 1870, le palais royal de San Lucar, résidence d'été de la famille française de Montpensier ; les architectes Juan Talavera, puis Antonio

272 *Pavillon colonial du Maroc, Exposition ibéro-américaine de Séville, 1928.*

273 *Maison particulière près de l'Eglise de la Sainte-Famille, Barcelone.*

274 *Arènes de Lisbonne.*

Arévalo Martínez réalisèrent un édifice de briques rouges à l'appareillage rayé de bandes horizontales ; l'intérieur, au luxueux décor de céramique, avait été dessiné par Manuel Soto y Tello, décorateur de la maison Xifré à Madrid.

En 1879, Joachín Rucoba réalise dans le style mudéjar le marché couvert Alphonse-XII à Málaga. La gare de Séville à Huelva, construite de 1875 à 1880, utilise à la fois la brique et le métal dans une architecture d'ensemble d'esprit islamisant. José Santos Silva et Nicolás Suárez y Albizu reprennent les caractéristiques mudéjares pour la gare de la Place d'Armes à Séville élevée entre 1889 et 1901. Quelques années auparavant, Juan Talavera de la Vega avait réalisé un pavillon de repos d'après un dessin médiévalo-mauresque dans le jardin du palais de San Telmo près du Guadalquivir. Aníbal González fut l'architecte orientalisant le plus productif à Séville : il réalisa la maison de Manuel Nogueira (1907-1908), la maison El Barril (1909-1910), celle du marquis de Villamarta (1911-1915), celle de la comtesse d'Ibarra (1912-1913) et celle d'Emilia Scholtz (1912-1914). A trente-cinq ans, il remporte le concours lancé par la municipalité pour les pavillons des Beaux-Arts et de l'Industrie de l'Exposition hispano-américaine de 1911. L'engouement pour l'architecture mudéjare devient général : la municipalité lance un concours de façades de style sévillan pour préparer la ville à l'Exposition américaine. La bourgeoisie reprend ce style pour certains immeubles : immeubles Ciudad de Londres (1912-1914), immeuble Adriática (1914-1922) par José Espiau y Muñoz. Suivront le cinéma *Trajano* (1920-1922), l'école Felipe Benito (1926-1929) qui influence Domínguez Espuñez lorsqu'il travaille à la faculté vétérinaire de Cordoue, l'hôtel Granada à Huelva [1] et le théâtre Falla à Cadix élevé par Adolfo Morales de los Ríos.

Le style mudéjar représenta l'Espagne aux Expositions internationales dès 1878 à Paris. L'édifice le plus représentatif fut, à l'Exposition ibéro-américaine de 1928-1929, le pavillon de Cordoue de l'architecte Carlos Sáenz Santa María inspiré de la Mosquée de Cordoue et de la tour de Saint-Nicolas-de-la-Villa. Malheureusement, les prémisses de la crise économique des années trente firent tourner court le succès de cette Exposition : les pavillons étrangers furent fermés prématurément et l'Expostion se termina dans un grand malaise. L'un des derniers édifices néo-mudéjars est construit en 1930 par A. Pinna qui élève la Giralda à Badajoz. Mais dès la disparition de l'architecte González, en 1929, l'architecture néo-mudéjare est presque totalement abandonnée au profit du rationalisme.

Il y eut aussi au Portugal un mouvement visant à intégrer le style mudéjar à une expression nationale [2]. Mais les constructions de style mauresque les plus représentatives semblent se rattacher à un exotisme venu d'Allemagne et d'Angleterre. Le traité de Fontainebleau, en 1807, partage le Portugal entre la France et l'Espagne. De 1811 à 1820, c'est l'influence anglaise qui est prépondérante dans le pays, une coalition anglo-portugaise ayant chassé les Français. Maria II du Portugal, qui règne de 1834 à 1852, épouse un cousin de Louis II de Bavière, Ferdinand de Saxe-Cobourg-Gotha. Celui-ci se fera construire par le baron von Eschwege, de 1836 à 1849, le château de la Pena à Sintra ; le château est une construction éclectique mêlant les styles médiéval, manuélin et mudéjar ; le baron von Eschwege effectua, en 1847, un voyage à travers le Maghreb, qui fut déterminant pour la fin des travaux de construction. De plus, à quelques kilomètres de là, le palais royal de Sintra témoignait du style créé au XVIe siècle par Dom Manuel, souverain de

275 *Arènes de Lisbonne.*

276 *Immeuble place du prince royal, Lisbonne.*

277 *La gare de la place d'Armes, à Séville.*

275

276

154

la dynastie d'Avis ; le roi avait transformé une forteresse en lieu d'agrément dans le goût de l'Espagne musulmane, dont les rois catholiques venaient d'achever la conquête. Des artistes marocains vivant au Portugal contribuèrent à la réalisation des faïences insérées dans les diverses salles du palais, et des jardins aux fontaines et aux parfums d'orangers. Sintra devint au XIXe siècle « le Brighton de l'aristocratie portugaise ». Les Anglais qui avaient pris goût à la douceur du climat et qui conservaient des attaches dans la région s'y firent construire des villas résidentielles [1]. L'élite financière du pays les imita.

Une maison de campagne, la Quinta do Relógio, avait été construite vers 1850 dans le style mauresque pour Pinto da Fonseca, dit « Monte Cristo ». Cette maison, très controversée au moment de sa construction, fut dessinée par António Tomás da Fonseca : bâtiment bas divisé en trois corps, celui du centre étant plus élevé et surmonté de créneaux, il possède une façade à cinq porte-fenêtres à arcs outrepassés dont trois en retrait au centre. Dans le palais de la Bourse de Porto, un grand salon arabe est réalisé entre 1862 et 1880 par G. A. Gonzalves de Sousa en imitation de l'Alhambra de Grenade. A Lisbonne, place du Prince-Royal, le palais Ribeiro da Cunha (1877) se coulut une copie d'un palais de Manáos de style oriental. Il s'agit d'un hôtel particulier situé à un angle de rues, chaque corps d'angle étant surmonté d'un bulbe à pique lancé vers le ciel ; les hauts murs sont ornés de créneaux dentelés et de clochetons, les fenêtres, encadrées de colonnes, soutiennent des arcs outrepassés et surbaissés. Le palais Conceição e Silva, construit en 1891 par l'architecte français Henri Lusseau pour un industriel portugais, alliait les styles mauresque et hindou ; les marbres venaient d'Italie et les parquets de Paris. Cet élégant hôtel particulier fut pris ensuite comme modèle pour d'autres constructions du même genre. Des arènes inspirées de celles, mudéjares, de Madrid furent réalisées à Lisbonne en 1892 par l'architecte A. J. Dias da Silva. Les exceptionnels portails d'entrée furent couverts d'une coupole, elle-même surmontée d'un bulbe en forme de montgolfière. Cet ensemble existe toujours. Enfin, quelques architectures orientales furent construites jusqu'au début du XXe siècle dans des buts fonctionnels ou décoratifs pour des constructions plus simples : kiosques, décorations de cafés, décors de cinémas...

279

278 *Château de la Pena, Sintra, Portugal.*

279 *Immeuble construit par l'architecte français H. Lusseau, à Lisbonne.*

280 *La Quinta do Relógio, à Sintra.*

280

AFRIQUE
DE PIERRE

AFRIQUE
DE TERRE

« Car l'Égypte ne peut rien faire que d'éternel... »

« Au bout des rues désertes, et au-dessus des terrasses, se découpaient, dans l'air d'une incandescente pureté, la pointe des obélisques, le sommet des pylônes, l'entablement des palais et des temples, dont les chapiteaux, à face humaine ou à fleur de lotus, émergeaient à demi, rompant les lignes des toits horizontales, et s'élevant comme des écueils parmi l'amas des édifices privés. [...] Dans la transparence bleuâtre de la nuit, l'immense édifice prenait des proportions encore plus colossales et découpait ses angles énormes sur le fond violet de la chaîne libyque avec une vigueur effrayante et sombre. L'idée d'une puissance absolue s'attachait à ces masses inébranlables sur lesquelles l'éternité semblait devoir glisser comme une goutte d'eau sur un marbre. [...] Nous avons la vapeur : mais la vapeur est moins forte que la pensée qui élevait les pyramides, creusait les hypogées, taillait les montagnes en sphinx, en obélisques, couvrait des salles d'un seul bloc que tous nos engins ne sauraient remuer, ciselait des chapelles monolithes et savait défendre contre le néant la fragile dépouille humaine, tant elle avait le sens de l'éternité [1]. »

Après la campagne d'Égypte de Bonaparte en 1798, politiciens et romantiques donneront un essor nouveau à la redécouverte de ce Nil que l'on sillonne en cange « aux grandes voiles ouvertes comme des ailes de cygne [2] »... Ils découvriront des émotions nouvelles en parcourant les rives des fleuves : « Quelle étrange chose, écrit Flaubert à sa mère, être ému en quittant des pierres ! Et quand tant d'autres choses nous émeuvent... [3]. » Mais Flaubert, comme le jeune Anglais du roman de Théophile Gautier, lord Evandale [4], percevait au-delà des pierres la pensée qui avait élevé ces pyramides et ces sphinx ésotériques.

Bien avant la mode des voyages orientalistes, déjà, esthètes et philosophes avaient reconnu dans l'Égypte des minarets et des sérails mais aussi des sphinx et des colonnes lotiformes de Karnak, Louxor, Dendérah... une source d'exotisme particulier. Bossuet proposait à Louis XIV d'envoyer des architectes français étudier les monuments de la haute Égypte. Depuis le XVIe siècle, les relations de voyage s'étaient succédées : Thénaud, en 1512, avait accompagné l'ambassadeur de Louis XII ; Mandeville publia les siennes en 1536 ; d'Aramon fut le premier consul de France auprès du pacha du Caire en 1547 ; le cosmographe Thévet d'Angoulême relève des plans de tombeaux pharaoniques en 1590 ; Savary décrit les pyramides en 1628 ; Athanasius Kircher publie *Obélisques égyptiennes* en 1666, et en 1676 un ouvrage sur les sphinx dans l'architecture égyptienne. De nombreux documents sur les monuments pharaoniques sont publiés en France, en Angleterre, en Italie, notamment par Bernard de Montfaucon, Norden et Pocock. En 1737, Paul Lucas, antiquaire de Louis XIV, propose au roi de faire venir d'Alexandrie la colonne de Pompée alors à l'abandon. Après l'ouvrage de Caylus sur les antiquités égyptiennes, grecques et romaines, Piranèse soutient que l'architecture égyptienne est la source de tout l'art méditerranéen. Quatremère de Quincy rédige une dissertation, à Paris, en 1785, pour défendre cette même thèse et entame une controverse avec Jacopo Belgrado de Parme et Giuseppe del Rosso de Florence. La mode du décor à l'égyptienne s'impose après que Piranèse eut décoré dans ce style le Café anglais, place d'Espagne à Rome.

Au début du XVIIIe siècle, le prince Palagonia avait fait élever, dans sa villa sicilienne et son parc, un ensemble de statues d'animaux mythologiques extraordinaires. Lorsqu'on lui demandait dans quelle partie du monde il avait puisé son inspiration, il répondait : en Égypte puisque Dio-

L'ÉGYPTE PHARAONIQUE, L'ARCHITECTURE DU SUBLIME

« Fuis la lumière des cieux ! Descends dans les tombeaux pour y tracer les idées à la lueur pâle et mourante des lampes sépulcrales [5]. »

282

281 *Temple de Debod, rescapé des eaux du barrage d'Assouan, transplanté sur la colline du Príncipe Pío, à Madrid.*

282 *Le café anglais, place d'Espagne à Rome, dessiné par Piranèse, impose en Europe la mode du décor « à l'égyptienne », c'est-à-dire la mode de l'Egypte pharaonique.*

283 *La pyramide de Castle Howard ; la pyramide exprime par son triangle la base terrestre qui se dirige vers le ciel ; elle se rattache profondément au symbolisme de la Connaissance. « La mort enseigne l'éternité ; elle détient surtout le secret de la vie », écrivait Th. Gautier dans ses analyses diverses sur l'Egypte.*

283

dore de Sicule affirmait que l'action du soleil sur le limon du Nil donnait naissance à des animaux qu'aucune autre contrée ne connaissait. Du limon du Nil était née cette civilisation de bâtisseurs qui transposaient dans la pierre les tiges de lotus réunies en bottes utilisées dans l'architecture de terre, et qui construisaient pour leurs morts et leurs dieux des cités symboliques.

Les fabriques de jardins dans le style égyptien retiennent l'attention. En 1787, J.-B. Kléber dessine pour le château de Montbéliard (Doubs) une maison de bains aux colonnes papyriformes et aux piliers couverts de hiéroglyphes surmontés de l'uraeus ; en 1800, pour le château de Davelouis à Soisy-sous-Étiolles (Essonne), l'architecte Dubois propose une glacière ; cela était relativement courant, mais celle-ci est encadrée par deux lions et deux obélisques, introduisant à un temple pharaonique aux caractéristiques similaires. En 1805, Renard image un temple pour les jardins de Valençay (Indre), et James Randall publie en 1806 un modèle de construction égyptienne privée ; J.-J. Lequeu avait aussi proposé « la petite habitation à l'égyptienne » mais dans une interprétation plus large. Dans son parc de Biddulph Grange, Bateman inséra, outre les fabriques chinoises, un temple égyptien gardé par deux sphinx.

Les lieux de la mort et de le l'immortalité.

Tandis que sphinx et obélisques, largement utilisés dans les jardins du XVIIIe siècle, restent du domaine décoratif, la pyramide prend la dimension d'un véritable monument d'architecture élevé le plus souvent comme mausolée ou bâtiment commémoratif. En 1748, Jardin établit un projet de chapelle sépulcrale en forme de pyramide contenant un temple égyptien. Delafosse utilise la pyramide pour ses projets de tombeaux et d'entrées de catafalque. Le projet de monument funéraire de John Soane pour le comte de Chathau en 1778 et pour Mirabeau en 1791 reprenait le même motif. En 1750, Robert Tracy élève dans son domaine de Castle Howard (North Yorkshire) une pyramide à la mémoire de son père. En 1773 à Monceau, G. Michel dessine pour Louis-Philippe, alors duc de Chartres, un tombeau égyptien à la mémoire d'un jeune Alle-

mand tué à la suite d'une querelle de jeu. L'intérieur était décoré de colonnes de lotus et d'une statuaire égyptienne. A Blicking (Norfolk), un mausolée de 1793 commémore le duc de Buckingham. De nombreux autres projets ou réalisations pourraient être cités : ceux de Marie-Joseph Peyre en 1765, de Friedrick Gilly en 1791, de Carlo Amati en 1800, entre autres.

Une place particulière doit être faite aux « architectes visionnaires » français qui utilisent dans leurs recherches sur les monuments funéraires les formes de l'Égypte pharaonique. « Boullée puise dans la Rome antique son répertoire de formes et d'ornements qu'annoncent les monuments funéraires et commémoratifs [1]. » Il reprendra la pyramide égyptienne qui était la forme du tombeau de Sextius et l'obélisque qui était devenu le symbole de la ville impériale depuis qu'Auguste y avait transporté celui d'Héliopolis... Boullée, comme ses contemporains, avait un goût particulier pour les récits de voyage, et sa bibliothèque contenait des œuvres sur l'Égypte, l'Inde, la Russie, la Chine et le Nouveau Monde. « Pour Boullée, la première qualité de l'architecture égyptienne est sa monumentalité, ''l'image de l'immutabilité'' que dessinent ses volumes élémentaires, l'impression de haute antiquité qui se dégage de ses ruines vénérables [2]. » De ces impressions naîtront la plupart de ses monuments funéraires : « Cénotaphe dans le genre égyptien », etc. Lequeu utilise dans ses projets l'exotisme de manière éclectique ; il établit, en 1792, le tombeau de Porsenna sur deux pyramides [3]. En 1795, un projet de Guiguet à l'École des beaux-arts propose un cimetière intégrant des masses pyramidales, et, en 1792, J.-N. Durand reprend cette idée dans un projet de « tombe idéale ». Des pyramides commémoratives seront élevées à Karlsruhe, sur la Marktplatz, en 1804, par F. Weinbrenner, à Rome pour le monument « alla gloria sul Pincio » de G. Valadier et au Mont-Cenis en 1809 par G. Cacialli.

Tout au long du XIXᵉ siècle, on utilisa le style égyptien pour l'architecture des cimetières. Pugin remarque que ce style, du fait de sa tonalité solennelle, de sa simplicité formelle et de son orientation vers la

284 *Tombe en forme de pyramide, cimetière du Père-Lachaise, Paris.*

285 *Pyramide comme fabrique dans un jardin du XXᵉ siècle en Ile-de-France.*

286 *Temple égyptien du parc de Biddulph Grange ; l'entrée est précédée de quatre sphinx.*

163

287

méditation pathétique, peut apporter un renouveau de l'architecture chrétienne. En 1837, John Cusworth élève un mausolée pour le général Ducrow. En 1838 à Londres, S. Geary utilise des colonnes lotiformes pour l'entrée du cimetière de Highgate. W. Hosking adapte en 1840 la pyramide pour l'entrée de celui de Abney Park. Sur le lac de Côme, en 1850, G. Franck élève une tombe et une pyramide pour un cénotaphe. En 1883, A. Guena édifie pour Matteo Schilizzi une réplique d'un temple égyptien à Pausilippe. Les cimetières parisiens intégreront aussi des lignes égyptisantes : Jean Humbert a inventorié seize tombes présentant des caractéristiques égyptiennes au cimetière du Père-Lachaise [1] dont celle de Joseph Fourier, premier secrétaire perpétuel de l'Institut d'Égypte, et celle de Monge, premier président de ce même Institut. Un croquis du dessinateur Galanis propose dans *L'Assiette au beurre* du 22 août 1903, à la suite d'un accident dans le métropolitain, un projet de gare intitulé : *Nécropolitain* et reprenant avec un certain humour noir les symboles architecturaux égyptiens.

289

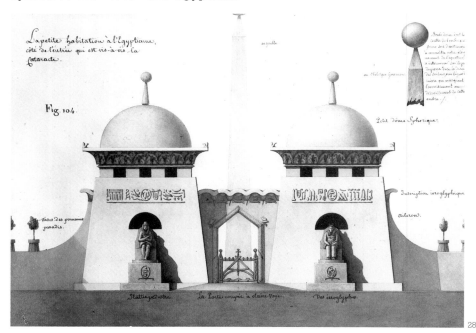

288

290

Symbolisme de la Connaissance et de la Sagesse.

Pour de nombreux intellectuels de l'époque, l'Égypte est la source d'une connaissance qui se perpétue dans le rituel maçonnique. Goethe, maçon depuis 1780, collectionnait les antiquités égyptiennes et se procurait des moulages de hiéroglyphes. Alexandre Lenoir, conservateur du musée des Petits-Augustins et maçon du rite écossais, attribuait aux Égyptiens les premières théogonies ; pour lui, comme pour tous les maçons, les mystères égyptiens sont l'origine de la sagesse et le berceau des sciences humaines : « Pour prouver l'antiquité de la Franche-Maçonnerie, son origine, ses mystères et ses rapports avec les mythologies anciennes, je remonterai aux Égyptiens [1]. » Osiris et Isis représentent l'Être suprême et l'Universelle Nature ; chaque individu doit, pour son initiation personnelle, pénétrer le sens d'un ensemble de signes symboliques ayant valeur d'arcanes...

Beaucoup d'intellectuels étant francs-maçons, la symbolique égyptienne est donc à la mode au XVIIIe siècle. Des œuvres littéraires et théâtrales s'en inspirent, notamment *La Naissance d'Osiris* de Rameau, *Thamos, roi d'Égypte* de T. von Gebler... Le livret de *La Flûte enchantée* de Mozart est rédigé par Schikaneder. Lorsque Mozart l'avait rencontré à Salzbourg, Schikaneder venait de monter *Thamos, roi d'Égypte*. Le décor de la création de *La Flûte enchantée* mêlait l'Égypte à l'Antiquité classique et à l'Inde. En 1815, à Berlin, Frédéric Schinkel compose le premier décor intégralement égyptien pour l'opéra de Mozart. A l'acte II, un sphinx, couché sur le toit d'un temple, émerge des eaux. Une autre scène du même acte se déroule à l'intérieur d'un temple aux niches surmontées de masques ailés. Puis les entrailles bouillonnantes de la terre jaillissent au pied d'un palais, à colonnes lotiformes, ponctué de sphinx. La scène finale fait pénétrer le spectateur dans une enceinte sacrée : à l'arrière-plan des colonnades et des palais se dressent des obélisques et une immense pyramide [2].

Le décor de création pour le cinquième acte des *Troyens* de Berlioz au Théâtre lyrique, le 4 novembre 1863, représente un palais égyptien. En 1871, Verdi compose *Aïda* à la demande du vice-roi d'Égypte, Ismaël Pacha. Le scénario est du célèbre égyptologue Auguste Mariette qui joua également un rôle important dans la préparation des décors égyptiens. L'opéra fut créé au Caire le 24 décembre 1871 [3]. Au premier acte, le décor dessine, dans le lointain, les temples, les maisons et les pyramides de Memphis. L'acte II se déroule à Thèbes devant le temple d'Amon. L'acte III utilise des pavillons de jardin dans un horizon nilotique. A l'acte IV, Rhadamès et Aïda meurent dans une crypte dédiée à Osiris. L'opéra sera donné dans le monde entier, reprenant cette architecture pharaonique à Lisbonne en 1878, avec un décor de G. Cinatti, à Barcelone en 1879 (l'affiche est dessinée par Vilasecas); en 1968, *Aïda* est représenté dans les arènes de Vérone avec un décor fabuleux de colosses dominant des temples nilotiques.

La référence à l'Égypte se retrouve dans l'architecture des loges maçonniques. La loge féminine de la rue Breton à Paris est ornée de colonnes lotiformes. La loge de Rennes a une porte légèrement trapézoïdale intégrant divers symboles géométriques. Il faut mentionner aussi le somptueux projet de façade pour la loge de Munich mis au point en 1900 par Helbig et Haiger. L'architecture religieuse chrétienne s'est peu inspirée du style égyptien. En 1869, l'architecte anglais W. J. Anderson construit à Glasgow une église dont le dôme est placé sur un temple égyptien d'envergure ; mais Queen's Park U. P. Church sera détruite en 1942 par un incendie. En 1898, Lens établit pour une église à Anvers un projet intégrant une partie d'architecture chrétienne à un temple égyptien. Un projet de M. Aubry pour le concours des Beaux-Arts de 1895 propose une synagogue constituée d'une coupole byzantine sur un temple nilotique.

Claude-Nicolas Ledoux s'attachait à souligner l'aspect symbolique des formes architecturales qu'il reprenait. La pyramide était tout à la fois en liaison avec le domaine funéraire de l'Égypte ancienne et avec la symbolique profonde des formes géométriques qui rattachent l'homme au cosmos. Elle exprime par son triangle la base terrestre qui se dirige vers le ciel. Lorsqu'il travailla en 1775 à la construction de la saline de Chaux, Claude-Nicolas Ledoux y intégra non seulement les formes primordiales que sont le cercle et le carré, mais aussi une pyramide qui devait servir de maison pour les bûcherons.

Dans une ferme anglaise à Tong, en 1812 ou en 1842, la famille Durant élève une pyramide égyptienne de briques, recouverte d'inscriptions diverses, dont « Vivez et laissez vivre ». Cette pyramide, qui devait servir de poulailler, contient toujours les réceptacles pour recueillir les œufs et la mention AB OVO inscrite au-dessus du fronton. C'est un jeune homme de vingt-cinq ans, ayant fait fortune à La Havane, qui conçut cette architecture proposant, par exception, un symbole non de l'au-delà, mais du quotidien à vivre et à aimer...

Une appropriation politique.
« En 1798, le jeune Bonaparte débarque avec ses soldats et ses savants, persuadés d'arracher le secret à la bouche du Sphinx, certains que l'homme encyclopédique, aimé de la science est plus fort que les dieux [1]. » Bonaparte est accompagné du physicien Berthollet, de l'aquarelliste Nicolas-Jacques Conté, qui laissa son nom à une marque de crayons, du peintre Denon, du dessinateur André du Tertre, du naturaliste Étienne Geoffroy Saint-Hilaire, de l'architecte J.-P. Lepère, du physicien et géomètre Monge, du botaniste et peintre Redouté, « tous animés d'une furieuse passion de connaître, d'éveiller, de créer. Ils ont laissé de leur passage cette bible en vingt volumes, pareils à des cathédrales, qui est la description de l'Egypte [2] » dont la publication s'échelonne de 1809 à 1825. *Voyage dans la basse et la haute Égypte*, qui eut un grand retentissement, est publié par Denon à Paris en 1802, à Londres en 1803 et à New York en 1807. L'égyptologie devient une science et les documents se multiplient : ouvrages de recherche, récits de dilettantes, peintures, relevés d'archéologie... Dans toute l'Europe, les antiquités égyptiennes pénètrent dans les musées et les demeures des collectionneurs. En 1826, Champollion le Jeune crée à Paris un musée égyptien qui reçoit le nom de musée Charles-X. En 1832, le bateau *Le Louxor* attend pendant plusieurs semaines à Rouen les pluies d'automne pour amener vers Paris l'obélisque qui sera érigé place de la Concorde.

En 1839, François Arago propose l'utilisation du daguerréotype, récemment inventé, dans les recherches archéologiques : « Pour copier les millions et les millions d'hiéroglyphes qui couvrent, même à l'extérieur, les grands monuments de Thèbes, de Memphis, de Karnak, etc., il faudrait des vingtaines d'années et des légions de dessinateurs. Avec le daguerréotype, un seul homme pourrait mener à bonne fin cet immense travail [3]. »

L'Égypte devint le but d'expéditions de photographes-archéologues. « De tous les pays méditerranéens, aucun n'a été aussi scrupuleusement enregistré, photographié et publié que l'Égypte. Et cela, dans les vingt premières années de l'art photographique. Ni Athènes, ni Rome, ni Cons-

291

292

291 *Immeuble de la place du Caire, Paris, état actuel.*

292 *Maison de Bruno Cuadros, Barcelone.*

293 *Projet pour la loge maçonnique de Munich, des architectes Helbig et Haiger, en 1900.*

tantinople, n'ont reçu de tels hommages [1]. » Le peintre Horace Vernet entreprit son voyage juste après la commercialisation du daguerréotype et photographia la colonne de Pompée, Louxor, la vallée des Tombeaux et la pyramide de Chéops. En 1839, l'architecte Hector Horeau séjourne plusieurs mois en Égypte et en Nubie ; il publie, en 1841, *Panorama d'Égypte et de Nubie*, ouvrage comportant des aquarelles pour lesquelles il aurait utilisé les références fournies par des daguerréotypes. Maxime du Camp et Gustave Flaubert partent en 1849. Le premier se consacre entièrement à la photographie et fera paraître cent vingt-cinq « dessins photographiques » qui connaîtront un large succès : la nécropole thébaine, façade du temple sud d'Abou Simbel... Francis Frith visite trois fois l'Égypte de 1856 à 1859 et publie deux volumes illustrés de photographies originales collées. Ses vues de pyramides de Sakkarah, de Guizèh, de temples, de kiosques seront très largement diffusées après avoir fait l'objet de clichés stéréoscopiques. J.B. Greene, mort à vingt-quatre ans, laisse des documents sur Thèbes. Maunier, Teynard, Louis de Clercq, Gustave Le Gray et Felice Beato font encore partie des pionniers qui travaillaient sur plaque de verre et fabriquaient sur place leurs surfaces sensibles emportant dans leurs bagages tentes-laboratoires et caisses de glace [2]. Ensuite, les expositions des Salons et de la Société française de photographie contribueront largement à perpétuer l'intérêt pour la vallée du Nil.

L'épopée du canal de Suez, depuis les projets des saint-simoniens jusqu'à l'entreprise de Ferdinand de Lesseps, magnifiée par les pouvoirs politique et religieux (un envoyé du pape fait un discours le jour de l'inauguration en novembre 1869), renforce l'intérêt pour l'Égypte durant tout le XIXᵉ siècle.

Mais le pouvoir a aussi fait descendre l'architecture égyptienne dans la rue. Le 23 septembre 1800, on fête, sous la présidence de Lucien Bonaparte, la commémoration des généraux Desaix et Kléber. Un temple égyptien de quatorze mètres de long sur neuf de large est élevé sur la place des Victoires. Il ne s'agit que d'un monument provisoire fait de seize colonnes, d'une charpente et d'une toile décorée d'hiéroglyphes. Le temple similaire mais fait de matériaux plus durables qui devait le

294 *La crypte des pharaons, au Luna Park de Paris, vers 1900.*

295 *Portique de l'Hôtel de Beauharnais, 1806, d'après une gravure. Architecte M. Bataille.*

296 *Char de la fée du Nil, Retraite illuminée d'Auxerre, 1908.*

294

295

remplacer ne fut jamais construit, au grand regret de Napoléon qui se désolait à Sainte-Hélène de n'avoir pas embelli Paris d'un temple égyptien [1]. A partir de 1818, des « montagnes égyptiennes », adaptation des « montagnes russes », sont proposées au public parisien faubourg Poissonnière. Le char d'Osiris de la fête d'Auxerre en 1882 témoigne de l'impact populaire des décors égyptisants. Le 15 août 1866, pour la fête de l'Empereur, un temple égyptien est dressé autour de l'obélisque de la Concorde. A la tombée de la nuit, il sera embrasé par le gaz [2]. Aux environs de 1900, on trouvait encore au Luna Park de Paris une crypte des pharaons constituée d'un temple, de deux obélisques et d'une grande statue de sphinx.

L'Égypte servit aussi de thème pour des productions de prestige commandées par l'Empereur. « En 1805 fut commencé à la manufacture de Sèvres un service de table d'une grande originalité, que Napoléon offrit au tsar Alexandre Ier en 1807. Outre les assiettes et accessoires divers somptueusement décorés de frises d'hiéroglyphes et de scènes à l'égyptienne, il se composait d'un monumental surtout de table en biscuit blanc d'une longueur de quatre mètres sur une hauteur variant entre vingt-quatre et soixante-seize centimètres. C'est tout juste si le Nil ne coule pas entre les plats ; au centre, le kiosque du temple de Philae, entouré de quatre obélisques, sert de point de rencontre aux temples de Dendérah et d'Edfou, dont les colonnades et les pylônes sont prolongés par des statues de Memnon et des allées de béliers. Le succès fut tel qu'un second service égyptien fut réalisé à Sèvres en 1811. Les hasards de la diplomatie leur ont fait quitter la France : le premier se trouve en Russie, le second en Grande-Bretagne [3]. »

Lignes massives et colonnes lotiformes.

La France napoléonienne utilisera, dans l'architecture civile, les lignes massives et les colonnes lotiformes caractéristiques des temples nilotiques. A Paris, la réalisation la plus importante fut l'immeuble de la place du Caire. Un très beau document de la Bibliothèque nationale, daté de 1877, nous en montre la façade décorée, au niveau de la rue par les colonnes lotiformes du Café égyptien, au niveau des étages par des frises égyptisantes et trois têtes d'Hathor. On ignore la date exacte de la

7   *AUXERRE. — Retraite illuminée du 2 août 1908, Char de la Fée du Nil*

Toulot, édit.   ND Phot.

296

169

construction et le nom de l'architecte qui a donné également à ce bâtiment certaines caractéristiques gothiques. En 1799, on ouvre une rue du Caire « en mémoire de l'entrée victorieuse des troupes françaises au Caire le 28 juillet 1798 ; en même temps, on fit un passage ayant plusieurs entrées : rue Saint-Denis, rue des Filles-Dieu et place du Caire. On y ouvrit des boutiques rappelant la foire du Caire ; le nom de foire du Caire fut donné primitivement à ces passages [1]. » Le Café égyptien semble avoir été ouvert en 1805.

297 *Maison égyptienne de Penzance.*

298 *Loge maçonnique féminine, rue Breton, à Paris.*

299 *L'Egyptian Hall de Londres, musée de 1812 à 1819 ; à partir de 1819, il devient un lieu d'exposition : en 1821, 1 900 visiteurs par jour viennent admirer les fac-similés de la tombe du roi de Thèbes découverte par Belzoni ; en 1825, l'attraction sera la voiture et le trône de l'Empereur de Birmanie constitué de vingt mille pierres précieuses, capturés par les Anglais en 1824. Mais les foules viennent aussi voir des « curiosités » diverses du monde entier comme, en 1829, des jumeaux nés au Siam dix-huit ans plus tôt et dont les corps sont réunis ; en 1841, la découverte des Indiens d'Amérique ; en 1844, le nain Tom Thumb qui, venu du Connecticut, accomplit un tour d'Europe ; en 1847, des documents sur les Boschimans de l'Afrique du Sud...*

298

Rue des Trois-Frères, la façade sur cour de la maison Biteaux, aujourd'hui disparue, reçut vers 1806 une entrée à l'égyptienne. En 1807, les architectes Bataille et Calmelet dotèrent l'Hôtel de Beauharnais, rue de Lille, d'un portique égyptisant : deux colonnes palmiformes, le disque ailé, les déesses sur les montants latéraux, convenaient au prince Eugène qui voulait faire de son hôtel un lieu à la mode. L'Hôtel de Beauharnais, qui a conservé sa décoration, sert aujourd'hui de résidence à l'ambassadeur de la république fédérale d'Allemagne. Autre témoignage de l'emploi des lignes égyptiennes : la fontaine du Fellah, adossée au mur extérieur de l'hôpital Laennec au 42 de la rue de Sèvres, comporte une copie de T. Gechter de l'œuvre initiale de Beauvallet reproduisant l'Antinoüs de la villa d'Hadrien découvert en 1738. La statue est enchâssée dans une porte massive aux proportions trapézoïdales. Il s'agit une fois encore de cet amalgame entre le répertoire des formes romaines et égyptiennes caractéristiques du début du XIXᵉ siècle : la fontaine, restaurée en 1844, avait été élevée de 1806 à 1809 par l'architecte Bralle. Enfin, selon Jean Humbert, la façade du Palais de Justice, sur la rue de Harlay, aurait été édifiée de 1857 à 1868 par Joseph-Louis Duc et librement inspirée de celle du temple de Dendérah pour l'ensemble des lignes. En 1930, un établissement thermal de style égyptien est bâti à Salies-du-Salat (Haute-Garonne) avec un péristyle aux colonnes lotiformes et aux cartouches pharaoniques.

Les architectes anglais furent plus fascinés encore que les français par les puissantes colonnes aux chapiteaux en forme de lotus. En 1805, James Elmes avait proposé une restauration de Sheriff Court House dans le style égyptien. L'Egyptian Hall, élevé à Londres en 1812 par P.F. Robinson, devait abriter des collections d'histoire naturelle : le musée de Piccadilly, voulu par W. Bullock qui avait séjourné trente ans en Amérique centrale, dura peu ; en 1819, il devient un lieu d'expositions et de rencontres artistiques contenant des bibliothèques, une galerie d'expositions et des boutiques orientales. P.F. Robinson s'était inspiré des lignes du temple de Dendérah qu'il connaissait par les ouvrages de Denon. L'édifice est de proportions massives, soulignées par la sobriété de la masse trapézoïdale, les colonnes lotiformes et les motifs décoratifs symboliques. Deux statues d'Isis et d'Osiris, sculptées par L. Gahagan, supportent l'entablement. Devenu un cinéma en 1905, l'Egyptian Hall perdra peu à peu ses caractéristiques architecturales exotiques. Une petite maison toute proche, dans Welbeck Street, qui avait été élevée dans le même style, fut rapidement détruite.

L'œuvre de Robinson sera imitée à plusieurs reprises en Angleterre. En 1823, John Foulston dessine pour la bibliothèque de Devonport une façade similaire à celle de l'Egyptian Hall. L'intérieur du bâtiment est lui aussi traité dans le style égyptien. En 1830 à Londres, George Lavin fait édifier dans Chapel Street une maison égyptienne pour y installer

300 *Devonport, la bibliothèque de J. Foulston.*

301 *Immeuble de bureau construit vers la fin des années 30, à Londres.*

302 *Les Flax Mills, l'usine de lin de l'industriel J. Marshall, construite par I. Bonomi, à Leeds : sur le toit, soixante-six dômes diffusent la lumière du jour sur les salles de travail où 2 300 personnes s'employent à traiter chaque jour 70 millions de yards d'étoffe. Les cheminées avaient la forme des obélisques et le toit plat était recouvert d'herbe pour éviter les écarts de température ; Marshall y faisait paître ses moutons, jusqu'au jour où un des animaux tomba au travers d'une vitre d'un dôme et mourut dans le fracas des machines qui le broyèrent. Mais le développement de l'industrie du lin eut seulement une brève période de gloire ; la production de Marshall baisse en 1880, et en 1886 cette entreprise pilote avec son école pour les enfants, une bibliothèque et une église pour les ouvriers ferme ses portes. Le bâtiment égyptien fut alors utilisé comme fabrique de vêtements pendant quelques années sous la direction d'un nouveau propriétaire ; puis il devint un entrepôt et existe toujours à l'heure actuelle.*

300

un musée géologique. La même année, un édifice inspiré de l'œuvre de Robinson, Templars' Hall, sera construit dans Green Street à Canterbury. La maison égyptienne de Penzance, qui abrita un musée géologique puis l'atelier d'un photographe avant d'être rachetée par le National Trust, a été magnifiquement restaurée.

A Leeds, de 1838 à 1841, Ignatius Bonomi construit pour l'industriel John Marshall [1] une usine de lin somptueuse, les Flax Mills, dans un environnement rural. J. Marshall, qui était un homme de grande culture, avait été séduit par l'idée que les Égyptiens d'autrefois fabriquaient leurs vêtements à partir du lin. En 1821, Marshall possédait quatre des dix-neuf entreprises qui travaillaient le lin à Leeds. En 1838, le nombre des usines de Leeds était passé à quarante. Marshall et son associé Matthew Murray avaient introduit des perfectionnements dans les machines et révolutionné l'industrie du lin. Pour la nouvelle fabrique qu'ils voulaient faire construire sur les bords de la rivière Aire, ils consultèrent le pein-

tre David Roberts qui rentrait d'Égypte et dont les dessins furent la base du travail de l'architecte Bonomi. L'emblème du soleil ailé est répété plusieurs fois autour du portique d'entrée, évoquant les poèmes d'Akhenaton. Six colonnes massives s'épanouissant en lotus décorent la façade principale à l'est. Une frise à cartouches les surmonte et les murs qui les séparent sont ornés en leur sommet par une rangée de serpents portant le disque solaire, ainsi que les architectes de la reine Hatchepsout l'avaient conçu en 1900 avant Jésus-Christ. Les longues façades nord et sud suivent un modèle identique et les piliers s'y élargissent en feuilles de palmiers.

Quelques autres projets et réalisations sont aussi à mentionner : en 1805, W.J. Short établit le projet d'une gare dans le style égyptien, projet qui sera publié en mai 1836 dans *Architectural Magazine*. En 1839, John Thomas dessine un pont ferroviaire de même style. De 1836 à 1858, J.K. Brunel construit le pont suspendu de Clifton aux piles surmontées de sphinx et aux lignes nilotiques. Un immeuble de bureaux construit à Londres vers 1938, et toujours utilisé dans les mêmes fonctions, reprend lui aussi le style égyptien.

Scènes d'Expositions.

Les réalisations françaises dans l'Égypte annexée seront largement commentées et diffusées à Paris lors des grandes Expositions. Mais c'est à l'Exposition du Crystal Palace en 1851 que fut présenté pour la première fois au grand public un témoignage de l'architecture égyptienne. Les visiteurs parcouraient une avenue ponctuée de deux sphinx fondus à partir de deux exemplaires rapportés d'Égypte par le duc de Northumberland. Ils arrivaient devant une façade alliant les caractéristiques de plusieurs temples égyptiens et évoquant les diverses étapes de l'histoire nilotique. Sur les murs du temple, des fresques illustraient l'histoire de Ramsès III. Une tombe représentait celle de Beni Hassan. Après la clôture de l'Exposition, le Palais de verre de J. Paxton fut reconstruit de manière définitive à Sydenham dans les environs de Londres. La grande

304

303-304 *Photographie et chromo-lithographie du pavillon du canal de Suez à l'Exposition Universelle de Paris de 1889 ; on retrouve de manière caractéristique le symbole du soleil ailé, les colonnes représentant les tiges de lotus, la forme générale massive, et des peintures de scènes égyptiennes antiques.*

305 *L'avenue des sphinx à Crystal Palace.*

306 *Le temple égyptien à l'Exposition Universelle de Paris de 1867.*

307 *La salle égyptienne à l'exposition du Crystal Palace, Londres, 1851 ; les travaux de construction.*

303

avenue égyptienne dominée par les colosses de Memnon est intégralement reconstruite. En 1867 à Paris, l'égyptologue Mariette supervise l'édification par les architectes Drevet et Chapon de deux bâtiments témoignant de l'architecture égyptienne nilotique. L'œuvre de Drevet est un temple qui doit abriter les richesses artistiques envoyées du musée de Boulaq et présenter divers aspects de l'architecture de l'ancienne Égypte. Mariette choisit de s'inspirer des temples de Dendérah, d'Edfou et de Philae mais en intégrant des caractéristiques des trois âges principaux de l'art égyptien : l'époque des pyramides dans la salle intérieure, le nouvel empire dans les peintures, la période des Ptolémée dans la colonnade. L'entrée du temple était précédée d'une porte monumentale et d'une allée bordée de sphinx moulés sur celui du Louvre. « Les colonnes de ce temple sont fidèlement reproduites. Elles représentent

307

305

306

des tiges de lotus dont les chapiteaux très composés rappellent la fleur, avec des recherches et des complications de forme et de couleur qui attestent un art des plus avancés. Dans l'épanouissement de ce premier chapiteau, une figure à quatre faces forme un second chapiteau d'un effet extrêmement original. C'est la tête de la déesse Athor qui présidait à la joie, au bonheur... La forme générale, légèrement pyramidale, donne à l'ensemble de cette construction un caractère simple, solide et grandiose, dont il est impossible de ne pas être frappé [1]. »

L'architecte Chapon a élevé le pavillon de l'Isthme de Suez où l'on trouve exposée toute une documentation sur les travaux du canal, la fondation de Port-Saïd, ainsi que des échantillons des produits du sol et un panorama de l'isthme. « On monte de la salle à la plate-forme abritée d'une tente où doit se tenir le spectateur, par un couloir tenu à dessein obscur, et, quand on en débouche, on est tout d'abord ébloui par l'éclat d'un ciel dont l'azur tourne au blanc, tant la lumière est intense. [...] Dans le coin de droite [...], on aperçoit Port-Saïd [...], les chantiers du port, les blocs de béton qui sèchent au soleil en attendant d'être immergés, les voiles blanches dans le bassin du commerce. [...] On aperçoit la ville d'Ismaïlia, le chalet du directeur [...], le village arabe avec son bazar et sa mosquée. Puis voici la plaine de Suez. [...] Ainsi mis à nu, l'épiderme de la planète a ce rayonnement d'astre que la Terre doit avoir dans le ciel, vue de la Lune [1]. »

En 1889, la Compagnie du canal fait élever à nouveau un pavillon dans le style de l'Égypte ancienne. Charles Garnier, lui, construit, parmi les quarante-quatre maisons représentant l'histoire de l'habitation, une maison égyptienne et un palais assyrien. « Quarante-quatre types de constructions qui sont là étalées en rang d'oignons, au pied de la tour Eiffel [2] » ont demandé à Garnier deux ans de travail. Pourtant ses contemporains les accueillent avec réticence, lui reprochant d'avoir suivi son imagination plutôt que la vérité. « Pour la maison égyptienne, par exemple, pour l'assyrienne, pour la phénicienne, pour l'habitation hin-

309

310

308

doue, qu'on a plaisamment comparée à un monumental étui de lorgnette, où donc M. Garnier est-il allé chercher ses modèles et son inspiration ? Voilà ce qu'on aimerait savoir... [1]. »

En 1900, le palais de l'Égypte comprend un bâtiment central de style mauresque, flanqué de part et d'autre d'un bâtiment pharaonique, dans un amalgame pour le moins éclectique. En 1931, l'architecte Gras élève pour la Compagnie du canal de Suez un pavillon aux lignes sobres et dépourvu de décoration polychrome. Le pavillon de l'Égypte à Bruxelles, en 1935, retient seulement les caractéristiques principales de l'architecture égyptienne en les accentuant légèrement. En 1937 est bâti à Paris le dernier pavillon égyptisant de style antique ayant figuré dans une Exposition internationale.

De la science à la magie.

Dans tous les pays d'Europe, des architectes reprirent durant le XIXᵉ siècle, la symbolique égyptisante en l'orientant plus spécifiquement vers la science et la mort. Entre 1843 et 1857, A. Stüler réalise le nouveau musée de Berlin et choisit de présenter les antiquités archéologi-

ques de l'Égypte ancienne dans un décor de temple entouré de colonnades lotiformes polychromes. La salle égyptienne sera totalement détruite en 1945 ; le projet d'une reconstitution intégrale est envisagé.

Un bâtiment du jardin zoologique d'Anvers est de facture égyptienne : la maison des éléphants et des girafes. L'intention des organisateurs de ce zoo, créé en 1841, était de permettre au public de découvrir non seulement les animaux mais aussi leurs lieux d'origine. Les architectes s'inspirèrent de bas-reliefs du temple Déir el-Bahari qui représentaient des animaux et qui semblaient avoir servi de modèle pour le jardin d'acclimatation d'une reine. On savait que les Égyptiens rendaient un culte à certains animaux et avaient créé des ménageries sacrées. Les animaux qui y vivaient, parfois des oiseaux et même des insectes, recevaient en offrande de l'encens et des pièces de musique... A leur mort, ils avaient des funérailles pour lesquelles on les momifiait. Mariette découvrit les momies de soixante-quatre taureaux à Memphis. On a également retrouvé des momies de musaraignes déposées dans des sarcophages de bronze. Les fresques du zoo d'Anvers reprennent librement ce thème animalier. « Les murs extérieurs et le péristyle de ce palais sont couverts de peintures égyptiennes représentant des théories d'habi-

314

tants des contrées tropicales venant offrir à la ville d'Anvers les exemplaires les plus caractéristiques de la faune de leurs pays [1]. » La maison égyptienne, endommagée par cinq bombes au cours de la dernière guerre, a été totalement restaurée. De même, la maison des flamants à Hambourg, construite en 1863, était une petite serre en forme de temple égyptien. La maison des autruches à Berlin avait l'allure d'un temple aux murs ornés de fleurs de lotus, de scarabées et de sphinx, tandis qu'à l'intérieur, un panorama présentait les colosses de Memnon.

En Espagne, la fin du XIXe siècle fut particulièrement éclectique dans ses choix architecturaux. Barcelone, en particulier, vit fleurir à la fois un essor néo-mudéjar, néo-médiéval, néo-baroque et Art nouveau. Josep Vilaseca i Casanovas (1848-1910) [2] et son collaborateur Lluis Doménech i Montaner se distinguent par leur goût pour les formes symboliques, notamment, en 1874, avec le monument funéraire du musicien catalan J.A. Clavé. En 1873, Vilaseca avait fait un voyage en Allemagne et en Autriche où il s'intéressa au renouveau baroque, ainsi qu'en Sicile où il étudia l'architecture normande ancienne de Palerme et de Montréal. L'ensemble de ses réalisations participe de tendances gothiques, baroques, exotiques intégrant l'Extrême-Orient, les sources islamiques et le style égyptien. Dans les années 1880-1885, il réalisera quatre édifices égyptiens. La maison de l'antiquaire Bruno Cuadros est de facture égyptienne, avec des lignes sobres et massives. Sa partie supérieure est constituée d'une colonnade, mais sa partie inférieure est d'inspiration japonaise. La tombe de la famille Batllo reprend des symboles funéraires égyptiens et les mêle à des symboles chrétiens. Pour l'industriel Augustin Pujol, Vilaseca construit une maison à Lloret de Mar : l'extérieur est de style totalement égyptien, l'intérieur offre une décoration de lotus, de disques solaires et d'hiéroglyphes polychromes. Cette demeure existe toujours et elle est devenue l'hôtel du Nil. Enfin, en 1908, en marge de l'architecture, Vilaseca décore la voiture de J. Carreras avec des motifs de fleurs de lotus et l'œil d'Horus. On peut noter encore que la ville de Madrid a fait venir il y a quelques années de la région d'Assouan un authentique temple pharaonique qui a été remonté dans un parc public et qui, à l'égal d'une splendide fabrique de jardin du XVIIIe siècle, réitère pour les Madrilènes un espace d'illusion...

En 1825, les jardins Borghèse de Rome avaient une entrée à l'égyptienne : deux obélisques introduisaient à deux bâtiments aux lignes massives ponctuées d'une colonnade lotiforme. Cette réalisation fut l'œuvre de L. Canina qui souhaitait transformer les jardins de la villa en musée de l'architecture mais dont le projet n'aboutit pas (projet exposé en 1828 dans *Le Nuove Fabbriche della villa Borghese*) ; il publia, en outre, de 1830 à 1843, neuf volumes sur l'architecture dont trois consacrés au style de l'Égypte ancienne. En 1817 déjà, Antonio Niccolini avait établi un projet d'entrée à l'égyptienne pour les jardins de la villa Floridiana à Naples.

Le Traité théorique et pratique de l'art de bâtir, publié en 1802 par Jean Rondelet, présente un très beau projet de pont égyptien à portiques et colonnades pour Saint-Pétersbourg. A Tsarköie Selo, le parc de Catherine II avait une entrée égyptienne construite en 1828.

Au début de notre siècle, science et magie se trouvent confondues : aureus et colonnes lotiformes s'affichent au fronton des salles de cinéma : le *Pyramid* à Sale, en Angleterre, devenu l'*Odeon* ; le *Riviera* à Manchester, dont l'intérieur est somptueux ; le *Carlton*, à Londres, qui sera détruit pendant la dernière guerre ; et *Le Louxor*, à Paris, construit en 1920, dont l'avenir est aujourd'hui incertain.

314 *Détail d'un pilier à l'intérieur de la maison des éléphants, jardin zoologique d'Anvers.*

315-316 *La maison des autruches au jardin zoologique de Berlin ; photographies de 1901.*

315

316

La découverte d'une architecture de terre.

En 1972, Marian Wenzel publie à Londres une étude très complète [1] sur les maisons de terre de Nubie entièrement détruites en 1964 lors de la construction du barrage d'Assouan. Les merveilles d'Assouan et de Philae, les temples pharaoniques, les colonnades à lotus, les bas-reliefs sculptés, furent démontés pierre par pierre, mais les maisons de terre réalisées par les villageois perpétuant des techniques ancestrales disparurent à tout jamais dans les flots du Nil... L'architecture de terre, si belle soit-elle, n'est pas considérée comme une architecture à part entière.

Cette architecture n'a que très peu retenu l'attention des premiers voyageurs qui parcourent l'Afrique. Les matériaux leur semblent dépourvus de noblesse et la valeur symbolique des formes leur échappe. Gaspard Théodore Mollien, qui visite l'Afrique occidentale en 1818, écrit : « L'architecture est tout à fait dans l'enfance chez ces peuples, leurs maisons sont en terre mêlée de fiente des bestiaux ; le toit se compose de longues perches : lorsque les murs sont bien secs, on pose le toit sur la maison sans l'y attacher ; sa forme conique l'empêche d'être renversé ; on le couvre ensuite avec de la paille [2]. » Les explorateurs anglais Houghton, Mungo Park, Dorchard, Laing, sillonnent difficilement l'intérieur de l'Afrique occidentale à la recherche des sources du Niger ; ils font très peu de remarques sur l'architecture. Le Français René Caillié découvre Tombouctou après des mois de marche épuisante : « Revenu de mon enthousiasme, je trouvais que le spectacle que j'avais sous les yeux ne répondait pas à mon attente : je m'étais fait de la grandeur et de la richesse de cette ville une tout autre idée. Elle n'offre au premier aspect qu'un amas de maisons en terre, mal construites [3]. » Caillié séjournera quatorze jours dans une maison de terre de Tombouctou, de même que Mungo Park et Laing, mais le « nègre romantique » est surtout une victime de l'esclavage et sa propre culture provoquera peu d'intérêt avant 1870.

Le *Tour du monde*, publié à partir de 1860 sous la direction de M. Charton, fait connaître à un large public des récits de voyages dès les mois qui suivent le retour des explorateurs. Barth, professeur à Berlin, se rend au Soudan de 1849 à 1855 après avoir entendu lors d'un premier voyage un Haoussa lui dire : « Plût à Dieu que vous puissiez voir Kano [4] ! » Malheureusement, il ne laisse pas de description architecturale à la hauteur de la beauté de la ville. En 1888, Binger publie un récit de son voyage du Niger au golfe de Guinée, dans lequel il décrit largement l'architecture sahélo-soudanienne de Kong, la ville aux mosquées de terre.

C'est à l'Exposition universelle de 1889 que le public français découvre l'architecture de l'Afrique. Garnier a construit une maison soudanienne ; on pouvait y voir également des villages du Gabon et du Congo et des cases Pahouin et Loango construites en bois et feuilles de palmier. Deux sculpteurs sur ivoire occupaient les cases Loango. Quant aux Pahouins, ayant la nostalgie de l'eau, ils préférèrent pagayer sur la Seine plutôt que de satisfaire la curiosité des visiteurs. Le Sénégal était représenté par des cases Ouolof, Toucouleur, Bambara, avec des « murailles en terre sèche dont les sommets se découpent en silhouettes symétriques, la porte singulière surmontée d'ornementations imprévues et devant la porte, la mosquée familiale [5] ».

A Genève, pour l'Exposition nationale de 1896, un emplacement de soixante mille mètres carrés entre l'Arve et le chemin des Bains accueille « le Parc de Plaisance » : « Carrousels à vapeur, à l'électricité, balançoi-

UN NOUVEAU ET TRÈS ANCIEN SAVOIR : L'AFRIQUE

317

317 *Le village africain de l'architecte Rozet, à l'Exposition Nationale de Genève, parc de Plaisance, 1896.*

318 *Le cinématographe du pavillon de l'A.O.F., Exposition Coloniale de Marseille, 1906.*

319 *Chromo-lithographie de la maison du Soudan de l'architecte Garnier, à l'Exposition Universelle de Paris, 1889. C'est à cette exposition que deux sculpteurs venus du pays Loango font des démonstrations sur l'ivoire : « les premières œuvres sculptées à Paris restaient faites de chic ; c'étaient encore des souvenirs du pays, des bonhommes de là-bas ; et voici qu'à force de voir circuler autour de lui la bande parfois cocasse des Européens, le sculpteur Loango, devenu réaliste a figuré sur son ivoire des gens en chapeau rond ou haut-de-forme, appuyés bourgeoisement sur des cannes, vêtus de vestons, de longues redingotes, puis, derrière eux, leurs femmes marchant coiffées d'un chapeau trop grand ou trop petit. » (E. Goudeau, catalogue de l'exposition).*

3. MARSEILLE — Exposition Coloniale 1906 — Cinématographe, Afrique Occidentale Française

M. O.

UNE MAISON AU SOUDAN.   (Déposé)   Exposition Universelle 1889.

res, panoramas, village nègre, théâtre javanais, palais de fées, verreries, cirque, ménagerie, musées, reliefs de Genève et du Righi, chemin de fer de l'Himalaya, rapides du Niagara, tour métallique de cinquante-cinq mètres, toutes les parties du monde et toutes les curiosités sont représentées dans le tohu-bohu de cet étrange microcosme [1]. » L'architecte Rozet réalise un « village nègre » fait de cases en pisé, boue et gravier, recouvertes de paille. On y pénètre par une étroite ouverture servant à la fois de porte et de fenêtre. La très belle mosquée était dans le style de celles de Kong ou de Djenné. Deux cent vingt-sept habitants représentant quinze ethnies occupent le village pendant la durée de l'Exposition. Le 8 mai, les visiteurs sont invités par la communauté du village à s'associer au baptême musulman d'une petite fille africaine née pendant le voyage de ses parents entre Dakar et Genève. Le bébé reçut comme prénom Marie-Rozet, le nom de l'architecte du village.

« *Les histoires et les contes jolis de Tombouctou.* »

« Le ciel vient du nord, l'or vient du sud et l'argent du pays des Blancs, mais les paroles de Dieu, les choses savantes, les histoires et les contes jolis, on ne les trouve qu'à Tombouctou [2]. »

En 1897, Félix Dubois publie *Tombouctou la mystérieuse*. L'architecture sahélo-soudanienne a séduit le voyageur, et l'ouvrage la décrit abondamment. De nombreuses gravures présentent les principales villes du Niger et du Soudan, les divers types d'habitat et les techniques de construction. Ségou, « séduisante au fond d'un coude majestueux, avec ses murailles zigzaguant comme les plis d'un paravent. [...] Quelle est cette civilisation qui s'est affirmée assez intense pour marquer son œuvre au grand jour, pour l'empreindre d'un sceau public — d'un style ? [...] Il n'est pas byzantin, ce style, ni grec, ni romain, encore moins gothique ou d'allure occidentale [...] et cependant, voici que me réapparaissent à la mémoire des silhouettes lourdes, majestueuses, assez semblables. Le souvenir m'en vient de bien loin d'ici, de l'autre extrémité de l'Afrique. Leur cadre est le bord d'un fleuve aussi, grand et aux eaux vastes comme

321

320 *Pavillon de la Guinée française à l'Exposition Universelle de Paris, 1900.*

321 *Pavillon de l'A.O.F. à l'Exposition Universelle de Bruxelles, 1910.*

322 *Pavillon de l'A.O.F., à l'Exposition Internationale des Arts Décoratifs de Paris, 1925 ; Architecte Olivier.*

320

184

le Niger. [...] C'étaient des villes mortes ou des villes de morts qu'il décorait, là-bas, ce même style ; c'est dans les défuntes cités de Pharaons et dans leurs hypogées, c'est dans la vallée du Nil, c'est dans les ruines de l'Égypte ancienne, que je l'ai vu déjà. Comment est-il parvenu ici à travers des siècles aussi lointains ? Comment orne-t-il encore aujourd'hui une ville encore vivante ? [...] Il me fallait la clef de cette énigme [1]. » À travers la tradition orale, Dubois tente de reconstituer l'épopée qui réunit toutes les villes sahéliennes dans la même architecture. Il s'intéresse aux techniques de la fabrication des briques de boue : « Les fondateurs de la ville avaient trouvé pour leurs constructions une matière remarquable. En vérité, ce n'était ni le grès, ni le granit, ni l'albâtre des monuments d'Égypte [2]. » Dubois émet l'hypothèse que des émigrants de l'ancienne Égypte reprirent, avec la glaise, les caractéristiques nilotiques des demeures qu'ils avaient dû abandonner. Il décrit la grande mosquée de Djenné, ponctuée de pylônes de terre et surmontée de créneaux triangulaires. « Ce fut un tour de force, une merveille, un chef-d'œuvre, si l'on réfléchit que pour tous matériaux, ses architectes employèrent de la glaise et du bois et que leur œuvre dura huit siècles [3]. » Détruite en 1830 par un conquérant Foulbé, la mosquée sera reconstruite en 1905 dans le même style. La plupart des maisons que décrit Dubois constituent elles aussi un « tour de force » puisqu'elles datent de trois ou quatre cents ans.

322

Lors de son voyage à Tombouctou, Dubois recherche les maisons habitées par les explorateurs qui séjournèrent dans cette ville avant lui : celle de Laing est en démolition ; dans la même rue, il retrouve la maison de Caillié, celle où Barth fut retenu prisonnier. Il constate que les murs en « dur » commencent à apparaître avec la maison de Gaston Méry, venu fonder un comptoir commercial, ainsi que l'église et l'école des Pères blancs du cardinal Lavigerie.

C'est au début du siècle que l'architecture de terre sera reconnue par l'Europe en tant que forme d'art et expression d'une culture. Charles Monteil, qui séjourne à Djenné de 1900 à 1903, photographie les bâtiments de terre les plus caractéristiques de la ville. Certains administrateurs coloniaux, séduits par la symbolique que transmet ce matériau si particulier ou fascinés par la perfection avec laquelle ces demeures s'adaptent au climat, font réaliser des bâtiments publics ou leurs propres demeures dans le style local. A Ségou, le premier gouverneur français, un officier d'artillerie, fait élever un bâtiment d'architecture sahélo-soudanienne qui sert de logement au personnel, de magasin et de perchoir à canons. La demeure de terre du représentant anglais à Kano existe toujours, et prouve à la fois l'adaptation du matériau aux conditions climatiques et ses dimensions esthétiques. En pays Yoruba, un peu plus tard, une artiste autrichienne réussit à convaincre la population d'allier le ciment introduit par les Européens et la terre traditionnelle dans leur culture.

323

Latérite rouge et cases-obus au bois de Vincennes.

Entre 1900 et 1931, ce sont essentiellement les grandes Expositions qui firent connaître l'architecture africaine au public européen. Elles en soulignent deux dimensions : la diversité des formes de cases propres à chaque région et la suprématie de l'architecture de terre sahélo-soudanienne. A Paris, en 1900, le Dahomey est représenté par des cases de terre carrées, à un étage ceint d'un balcon de bois, dominées par une reproduction de la tour des Sacrifices où, dans son pays, trônait le roi Béhanzin. Ces bâtiments servaient de cadre à une importante exposition de fétiches religieux. Deux grandes cases rondes, recouvertes de chaume et reliées entre elles par une galerie couverte aux piliers de bois sculpté, représentent l'habitat de la Guinée française. Une case plus petite et circulaire, recouverte d'un toit de chaume, vient du Chari. Pour les pavillons du Soudan et du Sénégal, Scellier de Gisors s'est inspiré de l'architecture des mosquées de terre. A l'Exposition de Liège en 1905 et à celle de Marseille en 1906, le pavillon de l'Afrique reprend les caractéristiques des mosquées sahélo-soudaniennes : formes massives légèrement trapézoïdales, pylônes ponctuant régulièrement les façades et toits plats crénelés. Le pavillon de l'Afrique-Occidentale française de l'Exposition de Bruxelles en 1910 est caractéristique des volumes de divers bâtiments de Djenné.

A l'Exposition coloniale de Marseille, en 1922, le palais de l'Afrique-Occidentale, construit par les architectes Olivier et Wulffleff, attire plus

323 *Pavillon du Dahomey, exposition de l'Empire Britannique, Wimbley, 1924.*

324 *Pavillon du Nigéria, exposition de l'Empire Britannique, Wimbley, 1924.*

325 *Pavillon de l'A.O.F. à l'Exposition Coloniale Internationale de Paris, 1931.*

326 *Restaurant de l'A.O.F. à Paris, en 1931.*

324

325

EXPOSITION COLONIALE INTERNATIONALE DE PARIS 1931.

326

327

328

327 *Chantier du palais de l'A.O.F.,
Exposition Coloniale de Marseille en 1906.*

328-329 *Le pavillon de l'A.O.F., Exposition
Nationale Coloniale de Marseille en 1922 :
photographie du hall central et illustration
représentant l'entrée du bâtiment.
L'architecte Olivier a séjourné 23 ans en
Afrique.*

330 *Pavillons du Togo et du Cameroun,
Exposition Coloniale Internationale de
Paris 1931, aquarelle. Ce pavillon a été
conservé au bois de Vincennes et il est
devenu récemment une pagode de culte
bouddhique.*

particulièrement les regards du public : « Le grand intérêt du palais de l'Afrique-Occidentale française est que, pour la première fois, le public a eu la brusque révélation de l'existence, dans notre empire ouest-africain, d'une architecture originale, ayant ses traditions, ses méthodes et ses caractères typiques, et l'impression que ces Noirs, qu'on avait eu tort de considérer jusqu'à maintenant comme incapables d'avoir une idée de la beauté des formes et de la proportion des lignes, avaient été sensibles, depuis des siècles, à la joie de construire des monuments symboliques et grandioses [1]. » Le procédé de construction du pavillon allie les techniques traditionnelles et les moyens les plus modernes : « La tour et le palais sont constitués par une armature de poutrelles en fer, raccordées les unes aux autres par des boulons et facilement démontables, aptes par là-même à être transportées ailleurs. [...] Sur cette armature ont été posés des roseaux solidement attachés entre eux en forme de paillassons, et sur ce deuxième revêtement, des pompes puissantes ont projeté un enduit préalablement mélangé à une préparation spéciale donnant la couleur rouge uniforme [2]. » Des fétiches, des étoffes peintes, des masques et des dioramas concrétisent pour le public ces pays de lagunes et de forêts qui sont nouveaux pour lui.

A Wembley, en 1924, L'Angleterre présente, à côté d'un pavillon du Dahomey, des exemples de bâtiments caractéristiques du Nigéria et de l'Est africain. Pour l'Exposition internationale des arts décoratifs de Paris en 1925, l'architecte Olivier construit un nouveau pavillon de latérite rouge, s'inspirant à la fois des formes architecturales de l'Ouest africain et de la région équatoriale. Le pavillon sert de cadre à une exposition des « belles productions de l'art nègre très en vogue en notre époque [3] », engouement né de l'impulsion donnée par des intellectuels et des artistes.

L'Exposition coloniale de Vincennes, en 1931, présentera l'Afrique-Occidentale française, l'Afrique-Équatoriale française, Madagascar ainsi que le Congo belge. Les architectes Olivier et Lambert ont élevé le palais de l'A.-O.F. à l'image de la mosquée de Djenné. Autour du palais, on

330

a reconstitué des rues de villages, des cases en pisé, en jonc ou en chaume représentatives des villages de brousse et une cité lacustre s'inspirant de celles que l'on peut voir en Côte-d'Ivoire et au Dahomey. Un cinéma présentant des films tournés en A.-O.F. est installé dans une construction en terre. Le restaurant conclut l'ensemble de l'A.-O.F. Pour l'A.-E.F., les six pavillons du Togo et du Cameroun, conçus par les architectes Boileau et Carrière, révèlent au public les hautes toitures de chaume légèrement arrondies, aux murs décorés de lignes géométriques et aux péristyles de bois sculpté caractéristiques des architectures Bamiléké et Bamoun. Le pavillon congolais de l'architecte Fichet

332

333

334

331 *Mosquée de Fréjus, état actuel.*

332-333 *Le pavillon de l'A.O.F., à Marseille, en 1922 : état définitif et chantier de construction.*

334 *Le marché indigène à l'Exposition de 1931, à Paris.*

est une construction circulaire de vingt-sept mètres de diamètre dont le dôme « en forme d'obus » est inspiré des habitations du Logone. M. Veissière a fait précéder le pavillon de Madagascar par la tour des Bucrânes, haute de cinquante mètres et décorée à son sommet de quatre têtes cornues de zébu, tout à la fois symbole religieux et économique du pays. Des monuments votifs semblables à ceux que les Malgaches placent dans les « maisons froides » des morts, et une reproduction de la maison du roi de Tananarive complètent l'ensemble. Le pavillon du Congo belge, réalisé par M. Lacoste, possède un portique où chaque pilier est sculpté d'un masque religieux polychrome. En outre, l'Exposition de 1931 permit aux visiteurs de découvrir des objets d'art venus de ces terres alors si mal connues. Quelques mois plus tard, une nouvelle revue d'art, *Minotaure*, publie les carnets de route de Michel Leiris en pays Dogon, puis les résultats de la mission ethnographique et linguistique Dakar-Djibouti dirigée par Marcel Griaule de 1931 à 1933. Cette mission avait rapporté des photographies de cases du bassin du Niger, de greniers de terre du Soudan, de mosquées sahéliennes, de serrures sculptées du pays Bambara et du pays Mandingue, de portes de bois sculpté, de poteaux de soutien de vérandas du Dahomey, et des prises de vue illustrant les techniques de construction en pisé.

L'œuvre des architectes Boileau et Carrière fut conservée et devint le musée du Bois. Restaurée par M. O.P. de Bazelaire de Rupierre, cette

335 *Pavillon de la Vie catholique, Exposition Internationale de Bruxelles, 1935.*

336 *Gravure sur bois représentant les pavillons Togo et Cameroun de l'Exposition de 1931, à Paris. Extraite du guide officiel.*

construction, dont le toit a été reconstitué avec cent quatre-vingt mille tuilettes en bois de châtaignier taillées à la hache, est devenue récemment... le temple bouddhique de Paris.

A Bruxelles en 1935, le pavillon des Missions catholiques réalisé par l'architecte Lacoste s'inspire des cases-obus du centre de l'Afrique. Schoentjès élève le palais du Congo constitué de cases contenant « les produits de l'art et de l'industrie congolais ». Avec la participation de Douret, Schoentjès construit un pavillon des Entreprises coloniales aux murs de latérite décorés de scènes de chasse et de motifs géométriques.

L'actualité de l'architecture sans architectes.

L'influence de l'Afrique sur l'architecture civile européenne sera très restreinte. On ne peut pas vraiment considérer comme une création de style africain un pont construit en 1860 à Haga (Suède) dans le parc de Gustave III et décoré de deux statues de « nègres » en bronze, grandeur nature, tenant sur chaque rive un filet faisant office de parapet. Ce pont a été déplacé et se trouve actuellement dans le parc de Ulriksdals.

Le seul édifice de style sahélo-soudanien est, à notre connaissance, la mosquée de Fréjus réalisée après la Première Guerre mondiale pour les tirailleurs sénégalais en garnison dans la région. En revanche, quelques réalisations dans d'autres matériaux que la terre s'inspirent de l'architecture sahélo-soudanienne : les locaux de la Fédération maritime de l'architecte P.L. Kramer, à Amsterdam, construits en 1911-1912 ; la serre dite du Dahomey réalisée dans l'enceinte de l'École d'agriculture coloniale de Nogent dans les années vingt. Cette serre, entourée de fétiches sculptés dans des poteaux de bois, tentait, par un modelé de ciment, d'imiter les édifices de terre du Soudan. Aujourd'hui, elle a perdu son environnement décoratif mais subsiste toujours.

L'église Sainte-Jeanne-d'Arc construite à Nice par J. Droz s'inspire en partie de l'Afrique : composé de trois coupoles placées sur un même axe et partiellement fondues l'une dans l'autre, entourées de huit coupoles plus petites, l'édifice allie les styles byzantin et expressionniste aux réminiscences des cases-obus. L'église Notre-Dame-de-Lourdes à Romans-sur-Isère présente une façade ponctuée de poteaux verticaux dépassant des murs réalisés dans l'esprit soudanien. Le père Bérenger, actuellement en charge de la paroisse, et fils de l'architecte qui conçut cette église en 1937, précise que celui-ci avait voyagé dans le Maghreb et effectué des recherches sur l'usage du béton armé et les formes d'ogives. L'Institut d'art et d'archéologie de Paris, enfin, allie des traits d'architecture islamique, antique occidentale et sahélienne.

336

Mais il faudra attendre ces dernières années pour que l'usage de la terre retienne l'attention des architectes européens. En 1972, Rudofsky réalise au musée d'Art moderne de New York une exposition sur le thème des *Architectures sans architectes* : étaient présentées des photographies d'édifices du monde entier réalisés de manière traditionnelle par des bâtisseurs anonymes. Le catalogue de cette exposition qui reçut un accueil sans précédent a atteint le chiffre de tirage le plus élevé jamais réalisé pour un livre d'architecture. D'autre part, Jean Dethier, architecte-conseil au Centre Georges-Pompidou de Paris, présenta en 1981 une exposition internationale sur *L'histoire, l'actualité et l'avenir des architectures en terre* qui accorda une place importante aux traditions africaines et aux réalisations contemporaines [1]. D'autres organismes comme l'ADAUA [2] de Genève et le groupe CRATerre de Grenoble cherchent à montrer l'intérêt de la terre comme matériau de construction en illustrant leurs théories par l'exemple des œuvres des bâtisseurs anonymes au « très ancien savoir ».

Ainsi, grâce à l'impact de ce mouvement contemporain d'architectes pourra peut-être s'inverser l'intérêt médiocre qui a été accordé jusqu'à présent aux architectures non-européennes. Trop souvent, sur place, l'architecture vernaculaire fut détruite, l'extension du monde urbain s'opérant en séparant les villes traditionnelles des agglomérations modernes ; villes et villages ont trop souvent reçu des plans de développement suivant des normes occidentales, sans aucune référence aux fondements esthétiques, religieux et sociaux des pays concernés. Trop souvent, seuls quelques monuments ponctuels furent valorisés comme pouvant constituer un patrimoine architectural comparable en qualité aux productions de l'Europe. Trop souvent, l'ensemble des conceptions concernant l'appréhension de l'espace par une civilisation autre, ses qualifications techniques, reçurent peu d'intérêt de l'Europe.

L'histoire de l'architecture exotique en Europe doit contribuer, non pas à dispenser un nouveau discours exotique, mais à rendre public l'intérêt d'une conception de l'espace et d'une beauté formelle différentes.

337 *Institut d'Art et d'Archéologie à Paris, Paul Bigot architecte, 1925-1927.*

337

NOTES

Page 7

1. *Cf.* pour ce terme, P. SOLIÉ, *La Femme essentielle*, Seghers, Paris, 1980.
2. *Cf.* sur ce sujet, R. BEZOMBES, *L'exotisme dans l'art et dans la pensée*, Elsevier, Paris, 1953.
3. *Cf.* sur ce sujet, E. SAID *L'orientalisme, l'Orient créé par l'Occident*, Seuil, Paris, 1980.

Page 9

1. En référence au terme employé par Marco Polo lors de ses découvertes.

Page 12

1. O. IMPEY, *Chinoiserie : the impact of oriental styles on western art and decoration*, Oxford University Press, Londres, 1977, p. 92.
2. *Jardins et paysages : le style anglais*, sous la direction de A. PARREAUX et M. PLAISANT, Université de Lille III, 1977, p. 73.
3. Comte de BEAUVOIR, *Pékin, Yeddo et San-Francisco*, Plon, Paris, 1872, p. 62.

Page 13

1. J. BALTRUSAITIS, *« Jardins et pays d'illusion »* dans « Jardins contre nature », *Traverses*, nᵒˢ 5-6, 1976, p. 101.
2. *Cf.* L. MARIN, « L'effet sharawadgi ou le jardin de Julie », note sur un jardin, et un texte, lettre XI, 4ᵉ partie, « La Nouvelle Héloïse », dans *Traverses*, nᵒˢ 5-6, p. 119.

Page 14

1. B. JONES, *Follies and Grottoes*, Constable, Londres, 2ᵉ éd., 1979.
2. *Lettres édifiantes et curieuses de Chine par des missionnaires jésuites, 1702-1776*, présentées par I. et J.-L. VISSIERE, Garnier-Flammarion, Paris, 1979, p. 412 *sq*.

Page 16

1. P. CONNER, *Oriental Architecture in the West*, Thames and Hudson, Londres, 1979.
2. *Cf.* C. HUSSEY, « A classical landscape park, Shugborough », dans *Country Life*, avril 1954.
3. Phrase de M. de Laborde citée dans le catalogue *Jardins 1760-1820, pays d'illusion, terre d'expérience*, Caisse nationale des Monuments Historiques (CNMHS), Paris, 1977, p. 128.
4. *Country Life*, juillet 1965.

Page 19

1. J. GATURIER, « Exotisme et jardins anglais », dans *Jardins et paysages : le style anglais. Op. cit.*, p. 191.

Page 20

1. Caisse nationale des monuments historiques, *op. cit.*, p. 141.

2. P. CONNER, *op. cit.*, p. 142, et

H. HONOUR, « Pagodas for the park », dans *Country Life*, janvier 1959.

Page 22

1. Peinture de Loudon reproduite par C. HUSSEY, « Alton Towers, the valley garden and its buildings », dans *Country Life*, juin 1960.
2. J. BALTRUSAITIS, introduction du catalogue de la Caisse nationale des monuments historiques, *op. cit.*, p. 19.
3. Le Rouge publie dans ses cahiers des vues du jardin de l'empereur de Chine d'après une série de peintures et gravures exécutées vers 1744 et portant ces inscriptions.
4. P. CONNER, *op. cit.* p. 62.

Page 25

1. *Le Magasin pittoresque*, 1871, Paris, p. 76.

Page 27

1. *Cf.* catalogue CNMHS, *op. cit.*, p. 59.

Page 28

1. *Le Pavillon chinois de Cassan à l'Isle-Adam*, plaquette éditée par la Revue française, Paris, 1975.
2. Voir la lettre que Lord Bolingbroke, exilé en France adresse à Swift sur la construction de son ermitage, dans « L'âme du jardin : les leasowes », H. MARCHUS, *Jardins et paysages : le style anglais, op. cit.*, p. 139.

Page 29

1. A. EBERLIN, *Frederiksberg*, Forlagsbureauet, Copenhague, 1888.

Page 30

1. Claude ARTHAUD, *Les Palais du rêve*, Arthaud, Paris, 1979.
2. C. ARTHAUD, *op. cit.*
3. C. ARTHAUD, *op. cit.*
4. J. BALTRUSAITIS, dans *Traverses, op. cit.*, p. 100.

Page 32

1. C. ARTHAUD, *op. cit.*, p. 12.

Page 33

1. A. SETTERWALL et S. FOGELMARCK, *The Chinese Pavilion at Drottningholm*, Allhems Förlag, Malmö, 1972, p. 23 *sqq.* et p. 49 *sqq.*

Page 34

1. E. PERODI « La Real Villa detta La Favorita in Palermo » dans *Ville e Campagne in Sicilia*.

Page 36

1. C. COATES, « Le château Cos d'Estournel », dans *La Vie d'un grand cru*, publication de Cos, 1979.

Page 38

1. C. COATES, *op. cit.*
2. Journal *Sud-Ouest*, 22 juin 1972.
3. *Cf.* le chapitre sur l'architecture du monde turco-ottoman, p. 81.

Page 40

1. Th. GAUTIER, *op. cit.*, p. 229.

2. P.-E. CADILHAC, « Promenade à travers les cinq continents », dans *l'Exposition coloniale de 1931, L'Illustration* (Album hors série).
3. R. FERRÈRE, « Le jardin chinois à l'Exposition », dans l'*Exposition universelle de 1867 illustrée*, t. I, Paris, p. 135.
4. Th. GAUTIER. « En Chine, souvenirs de l'Exposition universelle de Londres », dans *L'Orient*, vol. I, Éd. Aujourd'hui, Plan de la Tour (Var), 1979, p. 229.

Page 43

1. R. FERRÈRE, *op. cit.*
2. R. FERRÈRE, *op. cit.*
3. Pou-Sa : divinité protectrice des ouvriers de la porcelaine ; par extension, poussah, figurine chinoise de porcelaine.
4. Th. GAUTIER, « Chinois et Russes à l'Exposition universelle de Paris 1867 », dans *L'Orient, op. cit.*, p. 257.

Page 44

1. E. LANGER-MASCLE, « Le théâtre annamite », dans *Revue de l'Exposition universelle de 1889*, Motterez et Baschet, Paris, t. I, p. 275.
2. A. ALEXANDRE, « Le palais de Cochinchine », dans *Revue de l'Exposition universelle de 1889*, t. II, p. 107.

Page 47

1. L. de FOURCAUD, « Le Temple d'Angkor », dans *Revue de l'Exposition universelle de 1889*, t. I, p. 339.

Page 48

1. CHAMPION, « L'Indochine à Vincennes », dans *Le Livre d'Or de l'Exposition coloniale internationale de Paris 1931*, p. 121.
2. CHAMPION, *op. cit.*
3. L. PRADEL, « D'Amsterdam à Java », dans *Revue de l'Exposition universelle de 1889*, t.I, p. 97.

page 51

1. « Pays-Bas », dans *Exposition coloniale internationale, Paris 1931, Guide officiel*, p. 157.
2. P. BELLET, « Les costumes populaires du Japon », dans *L'Exposition universelle de 1867 illustrée*, t. I, p. 364.

page 53

1. F. JOURDAIN, « Les façades des sections étrangères », dans *Revue de l'Exposition universelle de 1889*, t. I, p. 397.
2. F. D'ERVY, « Promenades aux sections orientales », dans *Revue de l'Exposition universelle de 1889*, t. II, p. 145.
3. P. BONNETAIN, « Le palais de l'Annam et du Tonkin », dans *Revue de l'Exposition universelle de 1889*, t. II, p. 222.

page 56

1. Voir page 63 et page 72.
2. *Orientalisme et architecture contemporaine, compositions décoratives et architecturales exécutées et projetées par A. Marcel, architecte.* Editions Albert Morancé, Paris, s.d.
3. *Op. cit.*

page 58

1. P. FAVARDIN, « La villa ou l'avènement d'un nouveau mode d'habitation », dans *Revue des Monuments historiques, le Second Empire*, nᵒ 102, Paris, avril 1979, p. 57.
2. P. MARTINO, *L'Orient dans la littérature française au XVIIᵉ et au XVIIIᵉ siècle*, Slatkine, Genève, 1970, p. 231.
3. LAHARPE, *Histoire générale des voyages*, Ledentu, Paris, 1825, p. 92.

Page 61

1. *Albums de la grande retraite illuminée*, Ville d'Auxerre, 25 juillet 1857, 20 mai 1882, 5 août 1889.
2. *L'Illustration*, 1873, vol. LXII, p. 84.

page 64

1. Tableau reproduit dans D. HANCOKS, *Animals and Architecture*, H. Evelyn, Londres, 1971.

page 65

1. *L'Illustration*, 1865, vol. XLVI, p. 269.
2. *Op. cit.*

page 66

1. R. HABREKORN, *Historique de Bata-Clan*, communication inédite, aimablement transmise par M. Pierre Habrekorn.
2. Cité par E. WALTER, « Le décor », dans « L'espace du voyage : les gares », *Revue des Monuments historiques*, nᵒ 6, Paris, p. 36.
3. C. DALY, *L'architecture privée sous Napoléon III*, Paris, 1864, t. I, p. 12.

page 68

1. *Victorian and Edwardian Northumbria from old photographs*, Batsford, Londres, 1976, fig. 67.
2. P. CONNER, *op. cit.*, p. 157.
3. J. AUBOYER, « C.-T. Loo, 1880-1957 », dans *Arts Asiatiques*, t. IV, fasc. IV, Presses Universitaires de France, Paris, 1957, pp. 308-310.

page 69

1. Lettre de M. BAUWENS aux auteurs.

page 72

1. *Historique de la Pagode*, communication inédite rédigée par G. UHRY, 1973.
2. G. UHRY, *op. cit.*
3. *Le Figaro*, 22 février 1931.

page 75

1. *Cf.* l'article de Mircéa ELIADE, « Architecture sacrée et symbolisme », *op. cit.*, p. 141.
2. W. PEHNT, *Expressionist Architecture*, Thames and Hudson, 1973, p. 52.

Page 76

1. German Dharmaduta Society Colombo, *50 Jahre Buddhistisches Haus, Gegründet von Dr Paul Dahlke, 1924-1974*, Berlin, 1974.

page 77

2. Communication de J.-L. MASSOT, architecte.
1. J.-L. MASSOT, *op. cit.*

page 80

1. *Catalogue de l'Exposition de la Turquerie au XVIIIᵉ siècle*, Musée des Arts décoratifs, Paris, 1911, p. 16, cité par H. DESMET-GRÉGOIRE, *Le Divan magique*, Le Sycomore, Paris, 1980, p. 24.

page 81

1. *L'Abeille des jardins* de Brès, 1820, cité par A. GRIEVE, « Fabriques et folies », dans *Jardins et paysages, op. cit.*, p. 163.
2. *Zira* = 1,188 m.

page 84

1. De Saint-Félix,« Les installations d'Orient dans le parc », dans *L'Exposition universelle de 1867 illustrée*, t. I, pp. 38-39.
2. *L'Orient*, t. II, pp. 87-88.
3. Th. GAUTIER, *ibid.*

Page 89

1. Cité par F. BOUDON, « Recherches sur la pensée et l'œuvre d'Anatole de Baudot », dans *Architecture, mouvement, continuité*, n° 28, S.A.D.G., Paris, 1973.

Page 91

1. Par exemple, H. SALADIN, *Manuel d'Art musulman, vol. I, L'architecture*, Picard, Paris, 1907.

Page 92

1. G. LE BON, *Les Civilisations de l'Inde*, Firmin-Didot, Paris, 1887, p. 537.
2. *Cf.* Mildred ARCHER, *India and British Portraiture, 1770-1825*, Sotheby Parke Bernet et Oxford University Press, Londres, 1979.

Page 95

1. *tchattri*, en hindi = ombrelle ; par extension en architecture, petit dôme sur colonnettes. Par commodité, nous utiliserons ici le terme « clocheton ».

Page 97

1. C. ARTHAUD, *op. cit.*, p. 94.

Page 98

1. Communication verbale faite aux auteurs.

Page 100

1. R. HEAD « Redcliffe Paignton and its builder, Col. R. Smith », dans *Devon Life*, septembre 1978.

Page 105

1. C. BOISSAY, « Le pavillon-abri des chaudières anglaises », dans *L'Exposition universelle de 1867 illustrée*, t. II, p. 30.

Page 106

1. Th. GAUTIER, « L'Inde à l'Exposition universelle de Londres », dans *L'Orient*, t. I, p. 301 *sq.*

Page 109

1. P. DE SAINT-HILAIRE, *La Belgique mystérieuse*, Éd. Rossel, Bruxelles, 1973, pp. 112 *sqq.*
2. J.-M. DE BUSSCHER, *Les Folies de l'industrie*, Archives d'architecture moderne, Bruxelles, 1981.

Page 111

1. F. MOLARD, *La Retraite illuminée du 5 août 1889*, Ville d'Auxerre, 1890, p. 27.
2. *Cf. Errants, nomades et voyageurs*, catalogue d'exposition, Centre Georges-Pompidou, Paris, 1980.

Page 113

1. L. BOILEAU, dans *L'Architecture 1897.* Cité par L. GRENIER et H. WIESER-BENEDETTI, *Le Siècle de l'éclectisme, Lille 1830-1930*, Archives d'architecture moderne, Paris-Bruxelles, 1979, pp. 30 et 286.

Page 114

1. Th. GAUTIER, *op. cit.*, t. II, p. 327.
2. B. D'ASTORG, *Les Noces orientales*, Seuil, Paris, 1980, p. 15.
3. B. SAID, *L'orientalisme, l'Orient créé par l'Occident*, Seuil, Paris, 1930, p. 68.
4. P. JULLIAN, *Les orientalistes*, Office du Livre, Fribourg, 1977, p. 22.
5. *Cf.* C. CONSTANS, « Les orientalistes et l'architecture », dans *Revue des Monuments historiques*, n° 125, Paris, 1983, p. 17.
6. B. SAID, *op. cit.*, p. 27.
7. N. MOATI, *L'Orientale*, Seuil, Paris, 1985, pp. 136 et 164.

Page 116

1. Cité par B. SAID, op. cit., p. 120.

page 119

1. Lire l'article de F.-O. ROUSSEAU, « La maison de Pierre Loti, Rochefort-sur-Orient », revue *Maison et jardin*, « Les maisons célèbres », Paris, 1985.

Page 120

1. DE MEIXMORON DE DUMBASLE, « Charles Cournault », dans *Mémoires de l'Académie de Stanislas, 1904-1905*, Berger-Levrault, Nancy, 1905, pp. 8-9.
2. DE MEIXMORON DE DUMBASLE, *op. cit.*
3. Archives familiales, aimablement communiquées par Mlle Marine Cournault.

Page 123

1. L. SAUTIER, « La Douëra », dans *Bulletin de la Société lorraine des amis du Musée et des Arts*, n° 9, Nancy, 1969.
2. Le petit-fils de Charles, Étienne Cournault, né à « La Douëra » en 1891, devint peintre et graveur, cofondateur de l'Union des artistes modernes et de la Société de la jeune gravure contemporaine.

Page 128

1. P. COURTEAULT, « le musée Bonie », dans *La Côte d'Argent*, bulletin du Syndicat d'initiative de Bordeaux, juin 1930, aimablement communiqué par M. Lasserre, directeur de l'Inventaire des richesses artistiques de la France, région Aquitaine.

Page 132

1. *Cf.* E. BRIFFAULT, *Paris dans l'eau*, Hetzel, Paris, 1844, p. 71.
2. M. CASTELMANS, « Le casino d'Arcachon », dans *L'Illustration*, 1864.

Page 135

1. A. CHIRAC, « Le palais du Bey », dans *Exposition universelle de 1867 illustrée*, t. I, p. 42.

Page 136

1. A. CHIRAC, *op. cit.*

Page 137

1. *Cf.* les catalogues de l'Exposition « L'Orient des Provençaux », Marseille, novembre 1982 - février 1983, notamment *Les Expositions coloniales.*

Page 139

1. V. GLASTONE, *Victorian and Edwardian Theatres*, Thames and Hudson, Londres, 1975, p. 50.
2. P. BURTON, « Galaland », dans *Architectural Review*, septembre 1968.

Page 140

1. *Cf.* Elke von SCHULZ, *Die Wilhelma in Stuttgart, ein Beispiel orientalisierender Architektur im 19. Jahrhundert und ihr Architekt Karl Ludwig Zanth*, thèse de doctorat, Université de Tübingen, 1976.

Page 144

1. Cité par R. MISCHNIZER, « The architecture of the European synagogue », dans *The Jewish Publication of America*, Philadelphie, 1964, p. 201.

Page 148

1. V. HUGO, *Orientales*, préface, 1829.
2. V. HUGO, *op. cit.*
3. *Mudejar* : se fixer en un lieu et s'assujettir. Le mot vient de la racine arabe *dadjana*

Page 149

1. A. GONZALEZ ARUEZQUETA, « El neo-mudejar », dans *Arquitectura*, n° 125, Madrid, mai 1969.

Page 151

1. P. NAVASCUÉS PALACIO, « El Problema del eclectismo en la arquitectura española del siglo XIX », dans *Revista de Ideas Esteticas*, n° 114, Madrid, 1969.
2. O. BOHIGAS, *Reseña y Catálogo de la Arquitectura Modernista*, Editorial Lumen, Barcelone, 1973.

Page 153

1. HERNANDEZ-CROS, MORA, POUPLANA, *Guia Arquitectura de Barcelona*, publication du collège des architectes de Catalogne et des

Baléares, Barcelona, 1975.
2. T. SIMO, *La Arquitectura de la renovación urbana en Valencia*, Albatros Ediciones, Valence, 1973.
3. A. VILLAR MOVELLAN, *Arquitectura del regionalismo en Sevilla 1900-1935*, E.X.C.M.A., Diputación provincial, Seville, 1979.

Page 154

1. M. ROSELLÓ, J. MARTIN, E. PALLARÉS, *Edificios de interès de la ciudad de Huelva*, E.X.C.M.A., Diputación provincial, Huelva, 1977.
2. F. PÉREZ EMBID, *El mudejarismo Portugués de la época manuelina*, C.S.I.C., Madrid, 1955.

Page 157.

1. J. A. FRANCA, *A Arte em portugal no século XIX*, t. I et II, Bertrand, Lisbonne, 1967.

Page 160

1. Th. GAUTIER, *Le Roman de la momie*, publié en feuilleton dans *le Moniteur*, de mars à mai 1857.
2. Th. GAUTIER, *L'Orient*, t. II, p. 249.
3. G. FLAUBERT, dix-septième lettre à sa mère, dans *Lettres d'Égypte de G. Flaubert*, présentées par A. YOUSSEF NAAMAN, Nizet, Paris, 1965, p. 272.
4. Th. GAUTIER, *op. cit.*, prologue
5. E.-L. BOULLÉE dans *La Séduction du merveilleux*, S. Cordier éditeur, Paris, 1975.

Page 163

1. J.-M. PÉROUSE DE MONCLOS, *Étienne-Louis Boullée, 1728-1799, de l'architecture classique à l'architecture révolutionnaire*, Arts et métiers graphiques, Paris, 1969, p. 192.
2. J.-M. PÉROUSE DE MONCLOS, *op. cit.*
3. E. KAUFMAN, *Trois architectes révolutionnaires, Boullée, Ledoux, Lequeu*, S.A.D.G., Paris, 1958, p. 257.

Page 164

1. J. HUMBERT, « Les monuments égyptiens et égyptisants de Paris », dans *Bulletin de la Société française d'égyptologie*, n° 62, octobre 1971.

Page 165

1. Cité par J. BALTRUŠAITIS, *Essai sur la légende d'un mythe : la quête d'Isis, introduction à l'égyptomanie*, Olivier Perrin, Paris, 1967, p. 58.
2. J. BALTRUŠAITIS,*op. cit.*, p. 52 *sq.*
3. *Cf.* J. HUMBERT, « A propos de l'égyptomanie dans l'œuvre de Verdi, attribution à A. Mariette d'un scénario anonyme de l'opéra *Aïda* » dans *Revue de Musicologie*, t. LXII, Paris, n° 2, 1976.

Page 166

1. *Catalogue de l'exposition Égypte-France*, Musée des Arts décoratifs, Paris, octobre-novembre 1949.
2. Ibid.
3. Cité par M.-T. et A. JAMMES, *En Égypte au temps de Flaubert, 1839-1860, les premiers photographes*, catalogue d'exposition Kodak-Pathé, Paris, 1976.

Page 168

1. M.-T. et A. JAMMES, *op. cit.*
2. M.-T. et A. JAMMES, *op. cit.*

page 169

1. J. HUMBERT, *L'égyptomanie*, thèse de doctorat multigraphiée, Paris, 1975, t. I, p. 83 *sq.*
2. J. HUMBERT, *L'égyptomanie*, mémoire de maîtrise, Paris, 1971, p. 162.
3. J. HUMBERT, « L'égyptomanie dans l'art occidental », dans *Silex*, Grenoble, 1979, n° 13.

Page 171

1. M. VIMONT, *Histoire de la rue Saint-Denis de ses origines à nos jours*, Paris, 1936, p. 342.

Page 172

1. *Cf.* G. Bernard WOOD, « Egyptian temple architecture in Leeds », dans *Country Life*, 1er déc. 1960.

Page 175

1. H. MARINI, « Petit temple de Phi-lae, les installations égyptiennes », dans *Exposition universelle de 1867 illustrée*, t. I, p. 58.

Page 176

1. Th. GAUTIER, « Égypte », dans *L'Orient*, t. II, p. 103, *sq.*
2. V. CHAMPIER, « Les quarantes-quatre habitations humaines construites au Champ-de-Mars par M. Charles Garnier », dans *Revue de l'Exposition universelle de 1889*, p. 115 *sq.*

Page 177

1. V. CHAMPIER, *op. cit.*

Page 181

1. G. LOISEL, « Rapport sur une mission scientifique dans les jardins et établissements zoologiques publics et privés du Royaume-Uni, de la Belgique et des Pays-Bas », dans *Nouvelles archives des missions scientifiques*, t. XIV, Imprimerie nationale, Paris, 1907, p. 192.
2. *Cf.* R. BLETTER, *El arquitecto Josep Vilaseca i Casanovas. Sus obras y dibujos. Un catalogo raisonné*, Archivo historico de urbanismo, Arquitectura i diseno, Barcelona, 1977.

Page 182

1. M. WENZEL, *House decoration in Nubia*, Duckworth, Londres, 1972.
2. H. DESCHAMP, *L'Afrique occidentale en 1818 vue par un explorateur français, G.-T. Mollien*, Calmann-Lévy, Paris, 1967, p. 169.
3. Cité par CHAILLEY, *Les grandes missions françaises en Afrique occidentale*, I.F.A.N., Dakar, 1953, p. 38.
4. *Le Tour du Monde*, Hachette, Paris, 1860, t. II, p. 194.
5. POL-NEVEUX, « Le village sénégalais », dans *Revue de l'Exposition universelle de 1889*, t. II, p. 69.

Page 184.

1. *Journal officiel illustré de l'exposition nationale suisse*, Genève, 1896, p. 203 *sq.*
2. Proverbe soudanais.

Page 185

1. F. DUBOIS, *Tombouctou la mystérieuse*, Paris, Flammarion, 1897, p. 100, *sqq.*
2. F. DUBOIS, *op. cit.*
3. F. DUBOIS, *op. cit.*

Page 189

1. « L'Afrique occidentale française », dans *1922, exposition nationale coloniale de Marseille décrite par ses auteurs*, p. 100 *sqq.*
2. Ibid.
3. Y. BRUNHAMMER, *Cinquantenaire de l'Exposition de 1925*, Musée des Arts décoratifs, Paris, 1976.

Page 194.

1. *Cf.* le catalogue de l'Exposition, *Des architectures de terre ou l'avenir d'une tradition millénaire*, Centre G.-Pompidou, Centre de Création industrielle, Paris, 1981.
2. ADAUA = Association pour le Développement d'une Architecture et d'un Urbanisme Africains.

Remerciements

Nous voulons remercier dans le cadre de cette recherche nos amis, connaissances et relations qui, peu à peu, se prirent d'intérêt à leur tour pour notre passion et, faisant resurgir de leur mémoire des souvenirs, nous mirent sur des traces précieuses : Luisa, Tonia et Barthélémy Amat, Sophie Anargyros, Jean-Yves et Agnès du Barré, Gildas Baudez, Anne Benoist, Françoise Bertaux, Mme Brabo, Jean-Jacques Brisebarre, Vincent Bouvet, Thierry Bronner, M. Carbonaro, Danielle et François Chanut, Nicole Chapon, Martine Combes, Jacqueline Costa, Brigitte Coulaud, Maurice Culot, Françoise et Fernand Daudet, Jean Dethier, Mme Roxane Dubuisson, L. Estavoyer-Decaens, Pascal Flamand, Manuel Jimenez, Leila Juge, François Le Bourg, M. Le Calloc'h, Lise et Vincent Grenier, Françoise Giroud, Francesc Guitart, Monsé et Luis Herrera, Hermine Herscher, M. et Mme Hindmarsh, Michaël Hinz, Chérif Kashnadar, Francis Lacloche, Monique Mosser, Brigitte et Misha Norland, Michel Onfroy, M. Pariente, Madeleine Perriot, Évelyne Pomey, Claude Pras, Nicole Richi, M. Saporito .

D'autre part, dans chaque pays, de nombreux spécialistes nous ont reçu avec beaucoup d'amabilité, répondant à nos questions, nous proposant des pistes auxquelles nous n'aurions pas songé de nous-mêmes :
MM. les architectes de l'Inventaire général des monuments et des richesses artistiques de la France, notamment : P. Boisse, pour le Nord-Pas-de-Calais ; F. Fray, pour la région Provence-Côte-d'Azur ; J.-C. Lasserre, pour l'Aquitaine ; Mme M.-C. Mary, pour la Franche-Comté ; M. Pabois, pour la région Rhône-Alpes ; Y.-J. Riou, pour la région Poitou-Charentes ;

M. Atwell ; Mme Geneviève Barbet, professeur ; M. l'abbé Bérenger ; Mme Delabrouille, architecte-paysagiste ; M. le Conservateur du musée de Dieppe ; M. le Maire d'Enghien-les-Bains ; M. A.-H. Hérault ; Mme Pauline Hovnink, Inventaire d'architecture, Amsterdam ; M. le Conservateur du musée G.-Labit ; Mme Menier, conservatrice en chef des archives des D.O.M.-T.O.M. ; M. de Monfort ; M. de Montclos ; M. Alberto Villar Movellan, historien d'architecture, Cordoue ; Mme Christiane Neave, Association des amis d'Alexandre Dumas ; M. Pedro Navascuès Palacio, de l'École supérieure d'architecture, Madrid ; Mme Poisson, conservatrice du musée Roybet-Fould, Courbevoie ; M. Ravilly, archives municipales de Nantes ; M. le Maire de Royan ; Mme Royet, Bibliothèque nationale ; M. J. Saulnier, décorateur de films ; M. le Maire de La Seyne-sur-Mer ; Mme J. Szimonik, mairie de Noyant ; Mme Tran-Minh, Centre de documentation de l'I.R.A.T., Paris ; et les organismes suivants :
En France, à Paris : Archives de la France d'outremer, bibliothèque de la S.A.D.G., bibliothèque de l'Alliance israélite, bibliothèque de l'Institut d'art et d'archéologie, bibliothèque des Beaux-Arts, bibliothèque de l'Institut suédois, bibliothèque du Centre culturel néerlandais, Bibliothèque historique de la Ville de Paris, Bibliothèque nationale, Cabinet des estampes, bibliothèque du Muséum d'histoire naturelle, bibliothèque publique d'information du Centre G.-Pompidou, bibliothèque de la Sorbonne, Centre de création industrielle du Centre G.-Pompidou, Centre bouddhiste Vajrayana, Fondation Gulbenkian, Grande Mosquée de Paris, bibliothèque des Arts décoratifs, Musée des Enfants et des Cultures, Office du tourisme danois, Office du tourisme allemand,
ainsi que la Fondation A.-David-Neel à Digne, la Lamaserie de Toulon-sur-Arroux ;

En Angleterre : Agence photographique Maltby, Londres ; bibliothèque et musée du Pavillon royal, Brighton ; Great London Council, Londres ; National Monument Record, Londres ; Newcastle City Library ; Redcliffe Hotel, Paignton ; R.I.B.A., Londres ; *En Allemagne* : Université de Tübingen ; *En Belgique* : Archives d'architecture moderne, Bruxelles ; *En Espagne* : Colegio Oficial de Arquitectos de Cataluña y Baléares ; Escuela Superior d'Arquitectura, Madrid ; Universita de Cordoba, Facultad de filosofia y letras ; *En Sicile* : Musée Pitré, Palerme ; *En Suisse* : Archives d'État de Genève.

Mais nous n'aurions jamais pu tracer un inventaire aussi minutieux sans la participation des propriétaires actuels de demeures exotiques en Europe ; nous remercions donc de leur accueil : M. Angelloz, le Comte et la Comtesse R. d'Agrain, M. l'imam Bachir Ahmed, M. Bauwens, Mme Blanville, M. Bonechi, M. et Mme René Bourdet, Mme Coudoin, Marine Cournault, M. et Mme Pierre Emmanuel, M. Pierre Habrekorn, M. Little, M. Jean-Luc Massot, M. Bruno Prats, Mme Tchengivane. Nous voulons aussi associer à cette recherche Marie-France Brazier, Catherine Donzel, Guy Fournier et Béatrice Loyer pour le travail technique accompli pour le manuscrit.

Cet ouvrage a été achevé d'imprimer
le 30 août 1985
sur les presses de l'imprimerie Weber, à Bienne.

Imprimé en Suisse

ISBN 2.85108.404.6
Dépôt légal 1227 - octobre 1985
34/0564/4